... DDRAMA:
MERCHED EIRA
CHWILYS

Dwy ddrama:
Merched Eira
Chwilys

Aled Jones-Williams

Argraffiad cyntaf: 2010

Rhif rhyngwladol: 978-1-84527-309-5

Mae'r cyhoeddwr yn cydnabod cefnogaeth ariannol
Cyngor Llyfrau Cymru

Cynllun clawr: Sion Ilar

Cyhoeddwyd gan Wasg Carreg Gwalch,
12 Iard yr Orsaf, Llanrwst, Conwy, LL26 0EH.
Ffôn: 01492 642031 Ffacs: 01492 641502
e-bost: llyfrau@carreg-gwalch.com
lle ar y we: www.carreg-gwalch.com

Cynnwys

Rhyw air

''Am be' mae dy ddramâu di? holir fi'n aml. Dwn i ddim! Yw'r ateb.

Ond y mae awydd ynof i ddweud tri pheth.

Y theatr ei hun sy'n fy ngwefreiddio. Loes i mi yw gorfod edrych ar ddalen wag o bapur. O weld llwyfan wag geill pethau fod yn dra gwahanol. Lluniau a ddaw i mi gyntaf nid geiriau. Eilbeth yw iaith. Daeth dwy hen wraig i luwch o eira. Daeth dyn o wardrob. Pan ddigwydd hynny gwn fod ganddynt rywbeth y maent am i mi ei gofnodi. 'Amanuensis' wyf fi yn y bon ac nid ysgrifennwr gwreiddiol. Daw cerdd Czeslaw Milosz, yn ei chyfieithiad Saesneg, i fy nghof:

Secretaries

I am no more than a secretary of the invisible thing
That is dictated to me and a few others.
Secretaries, mutually unknown, we walk the earth
Without much comprehension. Beginning a phrase in
  the middle
Or ending it with a comma. And how it all looks when
  completed
Is not up to us to inquire, we won't read it anyway.

Wedyn y mae rhywbeth ynglŷn â natur personoliaeth. Be ydy 'fi'-unrhyw 'fi'? Ein tuedd yw meddwl ei fod yn bendant a chysact ac 'am byth'. Bellach-ac ar ôl fy ymgodymu rhy aml ag alcohol y daeth hyn i mi – gwn mai proses ydyw, rhyw ddyfod i fod parhaus heb unoliaeth unrhyw ganol. Rhyw glymu a datod a chlymu drachefn ond i'w ddatod eto. Os oes yna linyn thema yn *Chwilys* a *Merched Eira* hynny ydyw. Efallai fod a wnelo'r berthynas sy'n closio rhyngof fi a Bwdaeth â hyn. Er na fyddaf fyth yn Fwdydd llawn amser!

Cymreictod wedyn. A fy nghwestiwn mawr personol i erbyn hyn: A oes modd byw yn y Gymry Gymraeg a bod yn iach? Yn feddyliol-ysbrydol iach? Cwestiwn a'm trawodd yn ddiweddar wrth ddarllen *Tywyll Heno*, Kate Roberts. Fan yna yn rhywle, efallai, mae *Chwilys*.

Mae'r ddwy ddrama'n perthyn i'w gilydd felly. Cyfneitherod yn hytrach na dwy chwaer mae'n debyg. A'r gwir yw mai drwy'r cyfanwaith y mae dirnad fy ngwaith nid drwy edrych ar ddramâu unigol. Mae pob un yn anorffenedig.

Aled Jones Williams

Merched Eira

drama gan Aled Jones-Williams

Theatr Bara Caws
yn Theatr Beaufort, Eisteddfod Genedlaethol Cymru
Glyn Ebwy a Blaenau'r Cymoedd 2010
a thaith Medi 3 – 24, 2010

Y Cast: (yn nhrefn eu hymddangosiad)

Edna: Gaynor Morgan Rees
Edith: Olwen Rees
Calumn: Martin Thomas

Cyfarwyddwr: Bryn Fôn
Cynllunydd: Emyr Morris-Jones
Celfi: Gwyn Eiddior
Cynllunydd Goleuo: Gwion Llwyd
Sain: Berwyn Morris- Jones
Gwisgoedd: Lois Prys
Criw Llwyfan: Gareth Wyn Roberts, Ian Humphreys
Gweinyddu a Marchnata: Linda Brown a Mari Emlyn
Cydlynydd Artistig Tony Llewelyn

Aelodau parhaol Bara Caws: Linda Brown, Mari Emlyn,
Berwyn Morris-Jones, Emyr Morris-Jones
Tony Llewelyn
Diolch i: Aimi Hopkins

Er cof am Mam

1914 - 2008

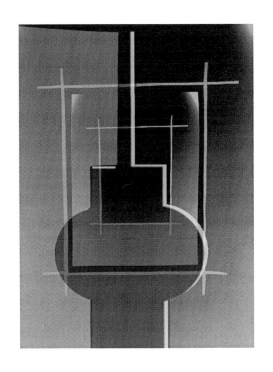

Cymeriadau:

*Edna ac Edith – dwy hen ddynes
y ddwy actor i chwarae'r rhannau ar yn ail â'i gilydd fel
bod gwahanol Edna ac Edith ar wahanol nosweithiau'r
perfformiad*

Calumn – hogyn ifanc

Tywyllwch hollol.
Sŵn gwynt isel, pell.
Pyls enfawr o oleuni.
Peth o'r golau'n aros i ddangos eira mawr ym mhobman.
Lluwchfeydd.
Yr ochrau yn hollol ddu.

Yn y man daw dwy hen wraig i'r fei.
Edna yw'r cyntaf i ymddangos.
*Mae hi'n tynnu ffrâm Zimmer fel sled ac arno gés costus
(math Antler). Bathing costume ffasiynol amdani; sbectol
haul ddrudfawr; het haul; binoculars am ei gwddw.*
*Ychydig wedyn daw Edith o'r cyfeiriad arall yn trïo gwthio
cadair olwyn hen drwy'r eira.*
*Mae'r gadair olwyn yn llawn dop o'i 'phethau' mewn
carrier bags.*
*Yn y gadair olwyn hefyd y mae deck chair rhâd. Amdani
hithau y mae bathing costume ond ddim hanner mor
grand ag un Edna.*

Mae Edna yn edrych drwy'r binoculars hwnt ac yma.
Mae'n pendronni a meddwl.

Ochneidio.
Mae hi'n sbïo ar Edith ac am ddweud rhywbeth wrthi ond
yn penderfynu ymatal.
Sbïo eto'r drwy'r binoculars.
Un ochenaid fawr.

Edna: Damia!

Edith: Be' sy'?

Edna: Damia!

Edith: Damia?

Edna: Ia! Damia! Go damia!
          Cachu rwtj DAMIA!

Edith: Pam 'lly?

Edna: Da ni yn y broshyr holide rong!

Edith: Dybad?

Edna: Yndan!

Edith: Yndan ni?

Edna: Wel yndan!

Edith: Sut gwyddost ti?

Edna: Weli di:
(mae hi'n darllen o'i chof, ei llygaid yng nghau)

Miles of sun-drenched beaches. Warm golden sands. Turquoise seas. Alabaster skies. Palm trees

and eucalyptus trees abound. Bougainvillea and pink belladonna lilies.

And ye olde fashioned Hokey-Pokey men. A paradise for your heart and soul.

Weli di rwbath yn debyg i hynny yn fama? Rhyw arlliw o hynny hyd yn oed?

Edith: Choeliai fyth na welai mo hynny.

Edna: Winter Sun Holidays ydy fama yldi! A hyd y gwela i, heb y sun.

Edith: Hwyrach y daw o yn y munud...

Edna: Ddudishi wrtha ti pan oedda ti'n cau dy llgada a fi'n dal dy law di:
Breuddwydia di am Sun Paradises rwan.

Edith: Ddudis di hynny!
A mi oeddat ti'n dal 'n llaw i!

Edna: Wrth gwrs 'y mod i!
Cydiad yn ddynn, dynn ynddi hi!... Welodd
rhywun chdi'n mynd?

Edith: Mynd!

Edna: Ia! Mynd! Welodd na riwin chdi'n mynd?

Edith: Paid a deud Mynd! Ar yr adeg yma'n 'n bywyda ni
mi wyddost ti'n iawn be ydy ystyr 'Mynd'.
Mond pan ti'n ifanc y mae o'n air saff llawn
gobeithion. Mynd i chwara. Mynd o adra. Mynd i'r
coleg. Mae hi'n mynd fel fyd fynno hi. Mynd a'i
phen yn y gwynt. Mynd linc-di-lonc a'i llaw hi yn
ei law o...

Edna: Dy law di yn llaw pwy?

Edith: Ond pan ti'n hen mae geiriau bychain, cyffredin
ieuenctid yn ddychryn pur. Mynd! Paid a deud
Mynd!

Edna: And does she speak English?

Edith: Be'?

Edna: Did someone see you go, ta?

Edith: Naddo!

Edna: Da ni wedi dengid!

Edith: Do!... Do?

Edna: Do! Oddi wrth yr hen jadan yr hen Fetron 'na a'i Home for Home bondigrybwyll. A phawb mewn cylch fel wagon trains...

Edith: ar Rawhide ers talwm a sŵn y telifishyn yn fyddarol o fora gwyn tân nos...

Edna: a rhywun yn deud: Fedrwch chi ddim mo'i roid o ipyn bach'n uwch, a'r sdafell...

Edith: yn chwilboeth ac ogla pi-pi yn gymysg...

Edna: ag ogla eau de Cologne cheap.

Edith: A phawb yn deud wtha ni: Wel! dyma le neis.

Edna: Mond pobol sy'n medru mynd yn ôl i'w cartrefi eu hunain sy'n medru deud fod Hôm i hen bobol yn le neis.

Edith: Drycha map!
         (Mae hi'n codi map or eira.)

Edna: A be mae o'n ddeud?

Edith: You are here!.... A da ni wedi dengid!

Edna: Do! O! Do!

Edith: O'r Cartra ta o'r henaint?

Edna: Do!

Edith: Sut ddaru ni ddengid felly?

Edna: Da ni yma tydan! Hynny ydy'r peth.

Edith: Drw'r drws mawr aetho ni?

Edna: Drw'r drws ochor!

Edith: Pa ddrws ochor?

Edna: Ma gin pawb ddrws ochor.

(Sŵn rhywbeth yn y pellter fel crygni mawr.)

Edith: Drws yn cau oedd hwnna?
Da ni'n ôl!

Edna: Be haru ti! Chlwishi ddim byd... Avalanche oedd o ma raid.

Edith: O! Wel am air neis: av..al..anche... Ma'r eira mor wyn â Colgate. Ti'n meddwl y gna nhw'n colli ni?

Edna: 'N colli ni! Be oedda ti'n i feddwl oeddat ti yn yr hen le 'na: unigolyn? Y cwbl oedda ti'n fana oedd sach o bres a honno'n gollwng yn cyflym.

Edith: Sacheidia yn dy achos di!

Edna: Paid ag edliw!... Elw ac nid enw. Dyna oeddwn i.

Edith: Be gutho ni i swpar neithiwr?

Edna: Shisst! Macaroni cheese!... Macaroni cheese!

Edith: Eto fyth! Peipia'r pasta fel rybyr yn dy geg di a'r caws yn llugoer ac yn hen felyn hyll.

Edna: Taw! Taw! Shisst! Ma hynny 'di mynd. Ma hynny drossodd. A'r holl anghofio... Wedi mynd...
(yn cofleidio Edith)

Edith: Ysti be? Dwi'n teimlo na fyddai isio dim yn ychwaneg yma. Cael rhywbeth a'r siomiant wedyn. Nad hwnnw oeddat ti 'i isio wedi'r cyfan. Y disgwylgarwch oedd popeth...

Edna: O! Felly!... A pa hwnnw?

Edith: Dyma be ydy paradwys! Dim otj am ddoe. Dim otj am fory. Mond un heddiw gwyn. Am byth. Tyda ni'n lwcus.

Edna: Wyt ti'n meddwl!

Edith: Neb yma! Ond ni'n dwy. Neb i harthu a rhefru. Dowch rwan! Chop-chop! Amser panad! Amser brecwst! Amser cinio! Amser swpar! Amser gwely!

Amser codi! Amser newid clwt! Amser consat! Amser trip! Amser! Amser! Amser! 'Does 'na run cloc yma. Dim byd ond y gwynder meddal. A'r plu eira fel eiliadau.

Edna: A'r oerni! Yr oerni uffernol!
Edith: Dwi'n teimlo'n hollol ddi-stori lyn fama. Dim hanas yn cyfarth fel hen gi yn y pellter pan mae hi'n nosi.

Edna: Dim ond drwy stori yr wyt ti'n byw! Be haru ti? Creu patrwm allan o betha mympwyol. Mae pawb yn creu naratif o'u bywydau...

Edith: O! deud y gair yna eto... Naratif!

Edna: Un flêr ran amla! Rhoi trefn ar lanasd tu mewn i gystrawen... naratif.

Edith: Ond mi rydwi yn fyw! Rhyw fyw gwahanol, arall. Fel 'tai iar-fach-yr-ha' fi-newydd wedi gwthio ei ffordd allan o grwst yr hen beth... Yn y 'fi' mae fi-au. Pinsha fi! I ti gael gweld!

          (Y ddwy yn pinsho ei gilydd. Yn gellwirus. Syrthio i freichiau ei gilydd. Cofleidio.)

Edna: 'Na fo! 'Na fo! Dduishi wrtha ti'n 'ndo na faswn i fyth yn dy adael di. 'Na fo! Shisst! Shisst!

Edith: A finna'n ddim o beth sdi... yn y coed... a mi aeth

17

hi'n dawel, dawel... y llonyddwch mwya... ac yn
sydyn un pluen eira unig yn troelli a chwirlïo...
wedyn un arall... ac un arall... ac un
(yn ymryddhau)

Edna: arall... nes oedd yna gannoedd ohonyn nhw...
miloedd... a dyma...

Edith: fi'n troi rownd a mi oedd yna le gwahanol...

Edna: ... o wynder...

Edith: Y plu eira fel ffoaduriaid yn rhedeg a'r coed duon
fel soldiwrs...
(yn ddychryn i gyd)

Edna: ... a bidogau'r brigau...
(hefo'r un un dychryn)

Edith: A Nhad yn deud wrth 'y ngweld i'n dwad i'r tŷ... Ti
fel sa'r gwahan....

Edna: ....glwyf arnat ti.....

Edith: Mae'r eira mor gynnes... Teimla fo...

Edna: Paid!

*Edna yn cythru am y cês a'i agor ar hast. Tynnu
dillad o'r cês a'u gwisgo: cot ffyr; het ffyr;*

myfflyr dwylo ffyr; sgidiau hynod o ddrud.
Gosod modrwyau am ei bys: un dyweddïad ac un
briodas. Ysgwyd bysedd ei llaw o flaen Edith.

Edith: Yr hen ast! Mi roedda ti'n gwbod yn iawn am y
          mistec. Nid y broshyr rong oedd o, yn naci! Ond yr
          un iawn! I fama roedda ni'n dwad o'r cychwyn
          cynta! A mi wydda ti hynny. Sun Paradises o
          ddiawl! Yr hen jadan glwyddog. Mi roedda ti wedi
          bod yn ddarbodus. A phacio côt ffyr ar gyfer y
          rhewynt. Wedi trefnu! Wedi cynllunio! Ta
          cynllwynio ddylai'r gair fod? A finna'n meddwl ''n
          bod ni'n ffrindia oes!

Edna: Ond mi ryda ni! O gyfnod 'n plentyndod!....
          Wyddos di'n iawn fel rydwi am bacio. Yn lluchio'r
          wardrobe i'r cês yn ddifeddwl....

Edith: Sgin i ddim byd ond dillad ha'. Fel dudisdi!...

Edna: '... Fyddwn ni ddim isio dim byd ond dillad ha' yn
          y ffashwn wres.' *(yn sionc)* Drycha!
          (yn synfyfygar)

          Little lacy, things! *(Dangos nicyrs a phais)*.... Ma ti!

          (Mae'n estyn overall nylon glas iddi.)

Edith: Er mwyn i bawb fedru deud y gwahaniaeth rhyngo
          ni, ia? Fel arfer!

Edna: Pa "pawb"? 'Does 'na ddim "pawb" yn fama! Dim ond ni'n dwy fach.

Edna'n gwenu a thynnu'n araf o boced ei chôt remote teledu a'i chwifio'n uchel uwch ei phen. Edith yn dechrau chwerthin.

Edith: Ti 'di dwad a remote y telifishyn hefo chdi! Yr hen bitj bach i ti! Ddois di rioed â fo fo chdi!

Edna: Do! Dyna lle mae'r grym mewn Hôm yn gorrwedd. Hefo pwy bynnag sy'n dal controls y T.V. A mae o gin i!

Edith: A be adewis di ar ôl iddyn nhw?
(yn llawn asbri)

Edna: .....Amser.
(yn oer)

Edith: Dyna i ti ddiawl o beth i'w adael ar ôl mewn Hôm...Amser i feddwl....Amser i sbario... Amser i bendroni...Amser i gofio...

Edna: Na! Nid amser i ddim byd. Jysd amser. Amser ar ei ben i hun, noeth... Tician... Tician... Tician...

(Sŵn fel rhywun yn anadlu. Tair anadl uchel.)

Edith: Ddois di a... a...

Edna: Ddois i a be'?

Edith: Ddois di a... a... pethma? O! dwi ddim yn cofio...
         O! *(igian crïo)*

Edna: 'Na ti! 'Na ti!...Shisst! Fi ydy dy go' di bellach...
         Ti'n gwbod hynny?... Drycha ar y lluad llawn fel...
         (yn ei chofleidio)

Edith: Steradent! Ddois di â'r Steradent?
         (yn sbïo ac yn cofio)

Edna: 'N nannadd 'n hun sgin i!

Edith: Ia! A'r pres i'w cadw nhw yna!

Edna: Naddo! Ond drycha ar be' rydwi wedi 'i ddwad.
         (Tynnu Nivea Cream o'i phoced)

Edith: Nivea Cream! O! sgin ti Nivea Cream! Gad mi
         ogleuo fo. O! ma na lot o betha ffeind yn dwad i
         nghôf i wrth ogleuo Nivea...

Edna: Fel be?
         (yn oer)

Edith: Petha!... Argoledig! Sbïa! Ma 'na rwbath fel pidlan
         yn sdicio allan o'r eira 'na.

Edna: Na! Na! Nid yr hen fusnas pidlan 'na eto! Mae
         hynny drossodd!

Edith: Ond ma' 'na! drycha!

(Edith yn rhuthro i'r eira. Edna yn ei dilyn.)
Ty'd mi gael gafael ynddi hi!
Gafael iawn!
(Edith yn tynnu a thynnu ar y peth yn yr eira.)
Helpa fi!
(Y ddwy yn dwad a gong anferth i'r fei.)
Iechydwriath! Mi oedd 'na un fel hyn yn y B & B yn
Llandudno sdalwm. A dyna sut oedda ti'n gwbod 'i
bod hi'n amser bwyd. Mi fydda'r ddynes yn...
(Mae hi'n taro'r gong yn orffwyll.)

Edna: Paid! Paid! Paid!
          (yn sgrechian)

          Y gong yn diasbedain yn uchel, uchel.
          Yna distawrwydd llethol.
          Y ddwy yn sbïo ar ei gilydd.
          Daw Calumn i'r fei yn y man yn gwisgo dim byd
          ond g-string a welintons.

Edith: Arglwydd! Sbïa ar 'i welintons o! Gofyn iddo fo ga'i
          dwtsiad.

Edna: Mae hi'n gofyn geith hi dwtsiad?

Calumn: Wrth gwrs!

          Edith yn rhuthro ato ac yn mwytho a bysyddu'r
          Welintons. Edna yn sbïo ac yn ffieiddio.

Edna: Rho'r gora iddi! Sdopia! Ych secs!... O'r hotel

dachi mwn?

Calumn: Yr hotel?

Edna: Ia!
Mae'n darllen o'i chof ei llygaid yng nghau.

"A five-star hotel with major facilities: indoor and outdoor swimming pools; gymnasiums; hairdressing and manicure and pedicure services; massage rooms with fully trained masseurs and masseuses...

Edith: Masseurs and masseuses! O! 'na ti eiria tlws.

Edna: each bedroom ensuite with a Jacuzzi, some with waterbeds for more personal attention and a fully stocked bar. Maid services throughout. All set in acres of luxcuriais grounds where eucalyptus trees abound."

Calumn: Ia! O'r fan honno... Calumn ydw i.

Edith: Calumn! Yn debyg i Calad... Dyna enw...

Edna: Cymraeg od! Da chi o'r eighties mwn.

Edith: Brysur 'radag yma o'r flwyddyn decini?

Calumn: Na! Dim yr adeg hon o'r flwyddyn.

Edith: Ond be 'am y sgïo?

Calumn: Pa sgïo?

Edna: Langlauf!...
         Ond mae yna bobol erill o gwmpas dybiwn?

Calumn: Mond chi 'ch dwy hyd y gwela i.

Edith: Ydyo ddim yn oer dwa?

Edna: Yda chi ddim yn oer dwch?

Calumn: Ar ddiwrnod tanbaid fel heddiw! Sut y medrai fod
         yn oer? A'r awyr mor las! Melodïau'r gwenyn yn
         gryndod ymysg y bougainvillea. Gwair ifanc y
         lawnt mor... mor... mor farddonol. Gwydraid o
         rywbeth? Rhew?

Edith: Rhew?

Edna: Sex-on-the Beach! Os gwelwch chi'n dda.

Edith: Largyr top.

Edna: Pryd fyddwn ni'n cael mynd i'r ystafelloedd?

Calumn: Deg llawr o westy! Dros bump cant o wlau. A'r
         londri'n hwyr hefo'r cynfasau. A dim ond un
         hogan. 'Does wybod...

Edna: Ond os nad oes yna neb ond ni siawns...

Calumn: Siawns! Dim siawns ydy hyn! Ond canlyniadau!...
          A mi ryda chi yn ystafell 621.
Edna: Ystafell! Am ystafelloedd y gofynais i! Dwy ystafell
          sengl!

Edith: O! Da ni yn yr un un gwely!

Edna: Nacydan!

Calumn: A mi ryda chi 'ch dwy yn yr un ystafell. Fel y
          dudais i: canlyniadau ydy hyn.

Edith: Ond os nad oes yna neb yma ond ni mewn homar
          o le mawr fel da chi'n 'i ddeud ydyo, dybad na
          chawn ni ystafell 101. Honno'n barod siaw....rwan!

Calumn: Na!

          Calumn yn moes ymgrymu'n llaes a gadael.
          Edith ac Edna yn edrych ar ei gilydd.
          Sŵn carlamu meirch, yn cynyddu a lleihau.
          Rhywbeth fel bom yn ffrwydro.

Edith: Ty'd i mi fenthyg dy sbinglas di.

Edna: 'Does 'na ddim byd ond y tywyllwch a'r
          llonyddwch mawr yn fancw.

Edith: Dinas!

Edna: Mae fel petai mai yma ydy ymyl darfod.

Edith: Wel oes! Mae vna ddinas anferth yn fancw. Yn
          drybola o oleuadau neon. Da ni ar gopa bryn ma
          raid oherwydd dwi'n edrych i lawr arni hi. Sbïa ar
          yr holl geir. A berw bywyd y nos.

Edna: Dangos!... Snam byd yn fana ond y duwch am a
          weli di.
          (Mae'n taflu ei watj i'r duwch.)
          'Na ti dda! 'N watj i'n arnofio drwy'r duwch mawr.
          Sbïa arni hi'n mynd. Un fflach egwan, arian a
          wedyn y diffodd llwyr.

Edith: Gad mi weld! *(Cipio'r binoculars yn ôl)* A ma 'na
          olwyn fawr a cherbydau siap sherbert lemons
          llawn o bobol hwnt ac yma hyd-ddi. Yn troelli'n
          ara bach. A chychod llawn goleuni ar yr afon yn
          mynd a dwad o dan y pontydd a'r afon yn glytiau
          du ac arian am y ail...

Edna: Fel chiaroscuro.

Edith: O! Wel am air neis.... chiar...os...curo. Ond plis
          paid a deud 'tha-i be ma o'n i feddwl...

Edna: Dio ddim yn bosib! Di hyn ddim i fod i ddigwydd!
          (Cipio'r binoculars yn ôl.) 'Does 'na ddim byd yn
          fana ond y tawelwch du yn ymestyn ac ymestyn ac
          yn gwahodd a gwahodd... a gwahodd. Ac yn datod
          popeth.

Edith: *(Heb y binoculars.)*
A phobl yn eu dillad gora' yn mynd i'r theatrau a'r operau a'r clybiau nos. Pobl yn loetran tu mewn i'w hieuenctid. O! yn llawn blysau a dyheadau. A'u crwyn ffresh, di-fefl yn wanwyn o nwydau. Ac ar y bwrdd blackjack mae rhywun wedi colli ffortiwn a rhywun arall wedi ennill yr un ffortiwn. Wyt ti'n clywed y crïo a'r chwerthin yn plethu i'w gilydd?

Edna: *(Heb y binoculars)*
A'r nos dragwyddol yn dal popeth sydd ac a fu ac a ddaw...

Edith: A hen bobol yn sbïo arnyn nhw ac yn medru cofio... Dyna be ydy duw sdi: cof anferthol. A mi ryda ni'n cael ein cofio'n wahanol i bwy da ni'n ei feddwl yda ni.

Edna: Fel penglog o dduwch.
(Sŵn rhywbeth yn rhuo o bell.
Edna yn llawn dychryn.)
Rhywbeth ddichellgar sy'n fancw.
(Mae'n taflu ei hesgid i'r duwch)
Glywi di ogla llosgi?

Edith: Hwyrach fod yna grematoriym wrth ymyl.

Edna: *(Yn edrych drwy'r binoculars.)*
A ma'r tân yn rhedag drwy'r lle i gyd gan gipio mewn adeilad ar ôl adeilad nes mae'r ddinas yn wenfflam...

Edith: *(Heb y binoculars.)*
Mae 'na rywun yn fancw hefo llond 'i haffla o lyfra'
a'r fflamau ar ei warthau o... Mae nhw wedi
dinistrio'r libryri ma raid... Dyna i ti beth ofnadwy
i'w wneud: llosgi llyfrau...

Edna: Yr Ofergoelwyr sydd wedi bod wrthi. Eto. Glwis di
eu meirch nhw gynna? Glwis di'r adnodau'n cael
eu llafarganu?

Edith: Ydyo wedi dengid? Dyn y llyfra!

Edna: Mae o wedi mynd o'r fei!

Edith: A'r fflama'?

Edna: Yn ei ddilyn o!

Edith: Hwyrach y daw o at yma!

Edith: A mi ysith y fflama' yr eira!

Edith: A mi ddaw 'na bobol erill i drïo mochel!

Edna: A does 'na ddim digon o le!
Dam ni ddim isio nhw'n fama!

Edith: Ond mi ddaw o â'r llyfra' hefo fo! Hwyrach y bydd
hynny'n gysur i ni! Darllen eto! Hunangofiant
Tomi. Émile Zola a ballu. Dwisho cael 'y nghofio

gan eiria'. Mae iaith yn fwy na ni. Dim otj be, mae geiriau o hyd.

Edna: Falla mai llyfra drwg ydy' nhw!

Edith: Be' ydy llyfra drwg?

Edna: Llyfra' fydd yn goglais 'n dychymyg ni a gneud i ni feddwl fod 'na rwbath amgenach na hyn. Syniadau! Damcaniaethau. Drychfeddyliau.

Edith: Ond 'does na ddim byd felna yn Gymraeg... Dani'n sâff felly.

Edna: Fod yna bosibiliadau. Fod yna fancw mwy dilys. Ac os ydy rhywun yn meiddio tân i achub llyfrau mae 'na rwbath am y llyfrau rheiny. Mae 'na rwbath yn y llyfrau rheiny! Ac felly dwi'n deud wrtha ti ma nhw'n lyfrau drwg...

Edith: Ma fo'n dwad!...

Edna'n rhuthro i'r eira ac yn tynnu allan sub-machine gun a'i danio'n ddiymatal i'r duwch.

Edna: Ddaw yna neb mwyach!

Tawelwch mawr.

Edith: Sut gwydda ti fod 'na wn yn yr eira na? Ac i ti ei estyn o mor ddisymwth? Fel petai ti wedi tynnu rhwbath allan ohono chdi dy hun. Nid y chdi oedd yn gynddeiriog yn fana ond y cynddeiriogrwydd oedd chdi. Sut oedda ti'n gwbod am y gwn? Deud!

Edna: Ofn ddaeth drostai... A ma fi'n troi'r ofn yn llun a'r llun yn beth. A dyma fi'n cythru i'r eira a dyna lle roedd o...

Daw Calumn i'r amlwg wedi ei wisgo fel dyn tân a hambwrdd arian yn un llaw a darn o hosepipe yn y llall. Mae'n gollwng yr hosepipe ar lawr.

Calumn: *Yn estyn pethau o'r hambwrdd.*
Rhein yn ôl i chi! 'Ch watj chi. Mae hi'n dal i fynd! 'Ch esgid chi! Sdeil! A'ch bwledi chi! Popeth yn ôl. Mae'r gwesty'n ulw.

Edith: Ddaeth y sheets ddim yn ôl o'r londri cyn y tân gobeithio.

Calumn yn sbïo arni ac yn gadael.
Edith yn dwad â stethoscope i'r fei o boced ei hofyrol a dechrau cornio'r awyr. Mae'n dweud yn gyflym:

Fel sŵn chwerthin.
Fel sŵn torf.
Fel sŵn rhywun ar ei phen ei hun.
Fel sŵn teimlad yn cael ei deimlo.
Fel sŵn syniad yn dwad i fod.
Fel sŵn llythrennau wrth ochra'i gilydd.

30

Fel sŵn gair cyn iddo fo gael ei ynganu.
Fel sŵn distawrwydd sy'n llawn o iaith.
Fel sŵn marwolaeth yn mynd drwy'r drws.

Mae'n rhoi'r stethoscope ar ei chalon ei hun.
Distawrwydd llethol!
Dim bwm-bwm
Mae hi'n chwerthin yn orffwyll.
Edna yn rhoi peltan iddi.

Edna: Dwyn hwn ddaru ti? Ia? O fag y docdor! Mi roedda
        ti'n dwyn petha byth a beunydd.
        Mi roedd gin ti fryncyn bychan o elastoplasts.
        Twmpath o napis. A mi gutho nhw hyd i ddeg pot
        marmalêd o dan dy wely di. I gyd wedi llwydo. A
        phisha o dôst oedd yn wsos oed. 'Ych!' Fyddwn i'n
        'i ddeud wrtha ti. 'Ych!'

Edith: Fydda ti!

Edna: Byddwn!

Edith: Isho teimlo'n sâff oeddwn i yli. Drwy betha
        cyfarwydd mi o'n i rwsud yn medru amgyffred pwy
        o'n i.

Edna: Ond mi roeddwn i yno i dy warchod di. Fi oedd dy
        gof di. Fi oedd map pwy oedda ti'n arfer bod. Yn
        dy arwain di'n ôl ato chdi dy hun. Yn dy atgoffa di
        ac yn rhoi cliws i ti. Yn goleuo eto y chdi oedd wedi
        mynd ar goll yn y drysni a'r mieri oedd yn tagu

gardd dy ymennydd di. A mi fyddwn i yn dy hel di at dy gilydd fel petaswn i'n hel gwlân gwasgar o wiars pigog dy flynyddoedd coll di. A'i gribo fo'n dyner a'i droi o eto'n bellen cofio. Fi oedd ceidwad dy orffennol di. Mi roeddwn i yn dy gofio di'n wahanol. Pa fath o fywyd oedd o? Dy weld di'n trio darllen pishyn o dôst fel petai o'n bostcard. "Gin bwy ma hwn?," fydda ti'n i ddeud. A dy glwad di'n holi am ddarn oedd wedi gor-grasu: "Be mae'r geiria duon yna yn ei ddeud?" Dy glwad di'n deud y gair "pidlan!" drosodd a throsodd ar ras fel petai ti'n rhyw dderyn diarth oedd newydd gyrraedd yr ardd o gyfandir arall. A phaldaruo am Hitler; dyn mor dda oedd o am i fod o'n casau smocio. Dy weld di wedyn yn hogian ar winch fel darn o fecyn uwch ben padell ffrïo. Yn noethlymun yn geg bath fel petai ti'n abwyd i'r diddymdra oedd yn dy amgylchynu di. "Pam hyn?" medda ti un dwrnod mewn un moment o eglurder mawr. "Health and safety, del," medda'r tipyn nyrs honno. A nyrsys ifanc, powld erill yn chwerthin wrth ddeud dy fod ti'n llyfu sebon am dy fod ti'n meddwl mai hufen iâ rasbri ripyl oedd o. A dy groen bach di mor frau a chroen tysan newydd a chditha'n cael dy halian fel sach o datws. Fedrwn i ddim!... Fedrwn i ddim!... A dyna ti pam...

Edith: Ond mi oeddwn i yn medru teimlo dy gariad di! Wydda ti mo hynny? Tonnau bach ffeindrwydd yn llepian ar draeth pellenig fy nadfeiliad i. Da ni wedi rhoi gormod o bwyslais ar reswm a'r deall.

Mae 'na wybod sy'n hŷn ac yn ddyfnach na
gwybodaeth. A mi oeddwn inna yn fy nhro yn
anfon teimlada braf yn ôl ata ti fel tasa nhw'n
wennoliaid haf oedd yn gwybod yn reddfol lle i
fynd i nythu yno yn hen leoedd ein cyfeillgarwch
ni, dan fondo pwy oedda ni'n arfer bod. Mi
roeddwn i'n dal i wybod rhywbeth gwerthfawr
drwy'r llanasd i gyd. Tra roedd gwymon sens yn
ddrewdod ar draeth fy henaint i mi oedd pwy ydwi
go-iawn, yn fy nyfnder, yno o hyd, yn fancw, yn y
pellter araul. Oedda ti ddim yn teimlo hynny?...
Ond deud wrthai be nesdi?... Be uffar nesdi?

Edna: Rhwbath...

Edith: Ond be'?...

Edna: "Helpa fi!," medda chdi. "Helpa fi!"
         A dim ond y fi oedd yn gwbod i'r dim be' oedda ti'n
         'i feddwl wrth "Helpa fi!" "A ma fi'n wincio arnat
         ti. Oherwydd o'n i wedi dalld yli. Dalld i'r dim... Mi
         roedda ni'n dwy mor anwahanadwy...

Edith: O! am air neis: an...wahan...adwy... 'I sŵn o fel
         sŵn tonna'n diffodd ar draeth. Ddiwetydd.

         *Calumn yn croesi'r llwyfan wedi ei wisgo mewn
         clogyn du enfawr fel Marwolaeth yn ffilm
         Bergmann The Seventh Seal*

Calumn: Gwisg ffansi! Ffansio? Da ni'n short o un Marie
Antoinette ac un Paris Hilton.

Y ddwy'n sbïo arno'n croesi'r eira.

Edna: Nid felna y daw marwolaeth mwyach. Rhag ti
feddwl! Ond mewn cot ffyr y daw o; mewn tabledi;
yn y dechnoleg mwyaf dyfeisgar a chlyfar. Mae
marwolaeth O! mor hyblyg. Mor newydd â silicon
chip. Ac weithiau'n edrych mor debyg i
drugaredd....Wt ti wedi meddwl erioed fod yna
Hôm i eiria'? Rhyw le lle mae geiria'n mynd i
riteirio. Geiria oedd fel blotting paper wedi sugno
i'w crombil yr emosiyna yr oedda nhw'n gorfod eu
disgrifio. Geiria oedd yn byw petha drosto ni. Ac
wedi nogio'n llwyr. Wedi diffygio oherwydd eu
hystyron ac wedi gwsnio gan y teimladau. Ti'n
meddwl fod yna gartre' henoed i eiria?

Edith: Y gair Hapus yn ei henaint fel meilord yn ei grafât
yn pwyso ar lintel y ffenasd ac yn syllu allan i'w
ddoe gan gofio yr holl brofiadau yr oedd o wedi eu
dal yng ngwiail y llythrennau. Ac yn smocio
cheroot mewn distawrwydd myfyrgar, boddhaus...

Edna: A'r gair Poen yr ochor arall yn sugno ymyl ei
ffedog a'r llenni wedi cau ac yn trïo anghofio... ac
yn methu...

Edith: A'r gair Maddeuant fel hogan fach sydd eto'n hŷn
na phawb sydd yno yn mynd o gadair i gadair yn

34

rhannu jiw-jiws...

Edna: A'r gair Brad heb na choesa' na breichia'... yn ddall
ac yn dafotrwm... a'i enaid o wedi ei ... grafu...
allan... yn gorfod ail-fyw pob digwyddiad pob un...
pob... un... Oes 'na rywbeth gwaeth na bradychu
rhywun dwad?...

Edith: A'r gair Chwant ar ripple bed a phwdwr o hyd yn
dew pinc ar y rincyls... A'i llaw hi'n crafu'r gynfas
fel petai hi'n trïo lloffa am hen flys...

Edna: Cyboli! Sut sa ti'n meddwl y basa'r gair Cyboli yn
heneiddio yn yr Hôm 'ma i hen eiria?...

Edith: Cyboli!

Edna: Ia! Cyboli!... Fel hen wreigan yn troi at y
parad...wedi ei gwargrymu... gan gywilydd... Dyna
dybad sut y bydda Cyboli yn y lle... hwnnw?

Edith: Falla!... A'i llygaid hi'n llaith wrth gofio am un
digwyddiad...un digwyddiad... oedd fel pupur ar 'i
bywyd hi...

Edna: Fel pupur?

Edith: Rhwbath roddodd flas ac ystyr ac oedd yn drech
nag unrhyw gywilydd...

Edna: A halan ar y briw i rywun arall... Mi rodda nhw'n

35

deud ers talwn dy fod ti a fi fel pupur a halan...
Ti'n cofio?... Mor anwahanadwy oedda ni...

Edith: An... wahan... adwy...

Edna: Syndod iaith! I'r lle da ni'n methu mynd da ni'n
anfon llysgenhadon geiria'... A ma nhw bob amser
yn cyrraedd... Pobol sy'n methu defnyddio geiria'
sy'n deud fod rhywbeth tu hwnt i eiria bob amser...
Nid rhywbeth tu hwnt i eiria... ond rhaffa geiria yn
dy ollwng di i lawr iddo fo....

Edith: A be ydy'r rhwbath?...

Edna: Rhwbath!... Gwnio petha hefo'i gilydd ma geiria'...
Mae 'na gist yng nghanol yr eira yn fancw!

Edith: Argoledig! Oes' na?... Sut gwyddost ti?

Edna: Mi wn!

Edith: Fel roeddat ti'n gwbod am yr hen fashin gun 'na?

Edna: Ty'd

*Y ddwy yn rhuthro i'r eira ac yn tyrchu i ddod â
chist fawr i'r golwg. Y ddwy yn ei hagor.*

Edith: Mae hi'n wag! 'Does na ddim byd yna!

Edna: Dyna sioc petha'... bod nhw'n wag...

36

Edith: Nacdi! Dwi'n teimlo petha'n dwad ohoni!

Edna: Pa betha?

Edith: Mi rwyt ti isho petha' gwag fel y medri di
           ddychmygu i mewn iddyn nhw... Hefo gwacter y
           mae pob dim yn cychwyn... Dychmyga! Cau dy
           llgada!... Be' oedd y gist unwaith? Ac i bwy?...Cist
           yn llawn o betha rhywun...

Edna: ... Rhywun oedd yn mynd ar daith...

Edith: ... i wlad bell...

Edna: ... yn ffoi... yn dianc... yn dengid... ffoaduriaid...

Edith: ... neu'n mynd i gyfeiriad bywyd newydd...

Edna: ...Glywid mo'i hogla nhw?...

           Y ddwy yn drachtio'r arogl yn y gist.

Edith: ... Na! nid nhw...

Edna: Ond hi! Hi!...

Edith: ... Clyw ogla'i phersawr hi...

Edna: ... eau de Cologne... a chlyw...

Edith: ... siffrwd silc ei dillad hi...

Edna: ... swn shiffon a chenille...

Edith: ... a taffeta a damask... Teimla'i...

Edna: ... chynnwrf hi wrth feddwl am 'i bywyd...

Edith: ... newydd...

Edna ac
Edith: ... Neu falla mai cist yn llawn o deganna' oedd hi...
          (cydio dwylo) Clyw y milwr bach clocwyrc yn
          martjo, martjo. A'i wên paent o yn aros yr un fath
          drwy blentyndod pawb... Ac yn gwenu hyd at
          henaint a thrwyddo... A thrên... Glyw di hi? Yn
          mynd ar ffigyr-o-êt drwy'r un dre ddigyfnewid a'r
          un pobol wedi eu peintio ar y platfform... sydd
          byth bythoedd yn mynd i ddal 'run trên... Heibio'r
          coed na fydda nhw fyth yn colli eu dail... A'r
          eroplên Airfix yn cogio bach ladd cannoedd... A'r
          gwch ar fôr dychymyg yn llaw y plentyn ar
          ymchwydd tonnau y môr nad ydyo'n...

Edna: Bod... Plentyndod mor fyr â rhywun yn pasio
          drych a dwad yn ôl o'r ochor arall mewn
          chwinciad...

Edith: Ond yn hen...

Edna: Drycha mae'r eira'n meirioli...

Edith: NA! Deud yn wahanol!... Wyddos ti'n iawn beth

ydy eira'n dadlath. Peth mor hyll ydyo. Peth mor fudur. Y gwynder yn troi'n lliwia' anghynnes. Yn frown. Ma gas gin i'r gair brown; ei ddeud o heb sôn am ei liw o...

Edna: Ond dyna'r pris! Y dadmer! Y budreddi! Yr ych-a-fi! Y slwtj!... Chei di ddim o'r gwynder...

Edith: Tydwimisho'r dadlath... Petha'n dwad i'r fei... Emosiwn fel hen ffridj yn codi i'r wynab ac yn edliw ac yn awgrymu... Ffram beic hen sdori sy'n fwrn ar dy fywyd di... Yr holl... Yr holl...

Edna: Yr holl be?...

Edith: Tydwi ddim yn cofio!... Be' gutho ni i swpar nithiwr? Be' gutho ni.

Edna: Macaroni cheese... A'r gair Marwolaeth yn ei chôt ffyr tu allan yn sbiana am i mewn...

Edith: ... Yr holl ddiodda... Deud am rwbath arall sy'n yr eira wrtha i...

Edna: Hwn!

          Mae'n rhoi ei llaw yn ddwfn i lawr i'r eira a chodi pot jam.

Edith: O!... Pot jam!... Sbia arno fo Fel petai ti'n gweld un am y tro cynta' erioed...

Edna: ... Neu am y tro ola'...

Edith: Rhyfeddu at betha!... O'i darganfod nhw!... Ac yn 'i
        diweddu nhw... Dwi'n cofio'r adag pan helis i'r
        bwtsias-y-gog a'u rhoi nhw mewn pot jam ar fwr' y
        gegin a rheiny 'n hogian yn llipa fel menyg heb y
        dulo a Mam yn deud "Ti 'di dwyn darn o lesni'r
        nen! 'Ndo!..."

Edna: ... A phot jam yn llawn o jeli llyfant, yn groth o
        wydr, a'r comas bychan duon ma'n dechra
        sboncian i bobman...

Edith: ... A'r tro hwnnw pan nad oedd gin i ddim byd
        arall wrth law... a ma fi'n pi-pi i bot jam... a'i gario
        fo wedi ei lapio mewn papur tŷ bach... a'r enw
        Hartley's yn dal yn golwg... a mynd a fo'n
        ddychryn i gyd ac yn gwbod... i'r surjyri a'r docdor
        yn gneud rhwbath... ac yn sibrwd... "Da chi'n
        feichiog" ... A finna ar y ffor' adra'n methu'r lân â
        chysoni y gair Beichiog hefo'r gair Hartley's...

Edna: ... Ac yn bora mi oedd y penabyliaid yn llonydd...
        llonydd... a'r drewdod mwya yn tasgu o'r pot jam...
        A mi wagish y cwbl i lawr y sinc a dal 'n nhrwyn. A
        golchi'r pot jam yn lan...

Edith: ... Fel croth wedi ei gwagio... Y cicio yn sydyn yn
        llonyddu... Yn peidio...

        Ffôn yn canu. Canu am yn hir.

Edna: Atab o! Mae o'n fancw!

Edith yn neidio i'r pen pella a chodi hen ffôn du
Bakelite o'r eira. Mae'n gwrando am ysbaid.

Edith: Chdi sy' na!

Parhau i wrando.

Llais Edna: *Edna'n ynganu'r geiriau yn dawel, dawel.*
Helpa fi!, medda chdi, Helpa fi!. A dim ond y fi
oedd yn gwybod i'r dim be oedda ti'n i feddwl wrth
Helpa fi! A ma fi'n wincio arna ti. Oherwydd o'n
i'n dalld i'r dim yli! Mi roedda ni'n dwy mor
anwahanadwy. A mi godishi'r glustog oddi ar dy
wynab bach di. Cysga di, Cysga di, me fi. Cysga di.
A breuddwydia di am Sun Paradises.

Miles of sun-drenched beaches. Warm golden
sands. Turquoise seas. Alabaster skies. Palm trees
and Eucalyptus trees abound. Bougainvillea and
pink belladonna lilies. And ye olde fashioned
Hokey-Pokey Men. A paradise for your heart and
soul.

A wedyn.... wedyn.... mi sdeddish i yn y gadair i
adael i'r Paracetemol a'r wisgi neud eu gwaith...
Y ffôn yn diffodd a sŵn lein wag yn hisian.
Tawelwch na welwyd mo'i fath am yn hir.
Edith yn rhyddhau un sgrech ddirdynnol.
Edna yn hollol lonydd yn sbïo i'r nunlle o'i blaen.

*Daw Calumn i mewn wedi ei wisgo fel Cosac, yn
cario eu diodydd ar hambwrdd.*

Calumn: Eich diodydd chi... Sex-on-the-Beach, madam.
Largyr Top, madam.
*Mae Edna'n ei sipian yn foddhaus.
Edith yn ei lowcio.
Calumn yn sbïo'n hir arnynt.*

A'r Brylcreem! Two for One o'r Pepco lleol. A mi
gewch chi tjoclet ar y ffor' allan am bunt yn unig; o
leia dyna ddudodd hogan y til.

Edith: Asiffeta! Brylcreem! Fel ar walld Jac.

*Calumn yn gadael wedi rhoi un Brylcreem i'r
naill a'r llall.*

Edna: Jack!... A'i wallt o'n sgleinio fel y frân... Jack-Do!...
O! Do!...

Edith: ... A finna wedyn yn y bora bach a'r gola mor
denna â thant telyn rhwng agen y llenni yn
ogleuo'r Brylcreem ar y gobennydd. A phatj o'r
olew yn sdaen ar y pant gwag yn y glustog... Do!...

Edna: Mi ddois ti a hwnna i'r fei'n sydyn iawn o du ôl i
ddrws cloëdig anghofio... Ogla gwallt 'y ngŵr i!...
Jack!...

Edith: ... Wedi meddwi ydwi yli!... Mae hwn wedi codi i

mhen i... A ma pobol yn deud y petha rhyfedda fyw
pan mae nhw mewn diod...

Edna: ... Ran amla'r gwir!... Weithia dim ond diod sy'n
           gneud pob heddiw tragwyddol yn bosibl... A lladd
           pob yfory hirach... A boddi pob poen... Alcohol! Y
           toddwr mawr... Poen gwbod dy fod ti a Jack yn
           cyboli... Cyboli!...

           *Mae hi'n llewcio'r Sex-on-the-Beach a thaflu'r
           gwydr i'r eira.*

Edith: Oedda ti'n gwbod?

Edna: Mae pob cymar yn gwbod!

Edith: Sut oedda ti'n gwbod?

Edna: ... Bob tro 'roedd o'n ynganu fy enw i 'roedd ei
           llgada fo'n deud enw rhywun arall...? I dafod o'n
           deud un peth a'i galon o'n deud rhwbath arall...
           Wrth afael amdana i roedd o'n cofleidio rhywun
           gwahanol... Pethau bychain arferol priodas un
           diwrnod yn cyrraedd y dieithrwch mwya'...

Edith: Ond sut gwydda ti mai fi oedd hi?

Edna: Oherwydd y pellter cyhoeddus oedd rhyngo chi!
           Pan oedda chi yn yr un un ystafell mi fydda ti neu
           fo yn symud oddi wrth eich gilydd. Drwy greu
           pellter mi sylweddolish i pa mor agos oedda chi...

Mae dynes yn fwy siarp na dyn. Mi ddylsa ti fod wedi gwbod hynny... Petha thic ydy dynion...

Edith: Ddudas di ddim byd...

Edna: Pa sawl cymar sy'n claddu'r gwir... A hongian ar frigyn llwm gaeaf y ffeithiau brwnt drimins normalrwydd. A byw tu mewn i anwybodaeth gwybod....

Edith: Es di drwy'i bocedi fo?

Edna: Drwy'i bocedi fo! I be' swn i'n mynd drwy'i bocedi fo! Doedda chi ddim yn fano! Nid drwy guddied risits gwesty, brechdan rhyw ffwc sydyn rhwng dwy dafell denna o sgwrsio byr am fod gin ti ryw bicnic o hannar awr i'w sbario, yr wyt ti'n cuddied affêr. Ond drwy'r atebion yr wyt ti'n ei rhoi i'r cwestiynnau arferol y mae gwraig yn ei gofyn i'w gŵr ar ddiwedd dydd: Lle buos ti? A fynta'n ateb rêl cocyn: O! yn y lle-a'r-lle sdi. A'i holl ymarweddiad o, holl ogla'i deimlada fo yn dangos daeryddiaeth arall ar fap ei emosiyna fo. Bachau y cwestiynnau arferol rheiny sy'n dal sgodyn anffyddlondeb rhwng gŵr a'i wraig yn y diwedd. Derbyn llythrennoledd geiriau mae dynion tra mai darllen brawddegau gwingo a llyncu poeri mae dynes. Ac is-destun y llygaid. Mae gan ferchaid iaith sy'n anghyfiaith i ddynion.... Mae gwraig bob amser yn glyfrach na'i gŵr.

Edith: Mi oedd gin i fy ngwirionedd fy hun!

Edna: Ond be am y gwirionedd sy'n drech ac yn fwy na'r
           gwirioneddau honedig, personol yr yda chi'n eu
           creu er mwyn medru cuddied a chyfiawnhau
           celwyddau a thwyll eich bywydau?

Edith: Nid celwydd oedd Jac a fi! Ond rhywbeth triw a
           chynnes a diffuant. Mi roedda ni mewn lle o
           wirionedd hefyd. Sydd yna o hyd, tu mewn i mi
           hyd y dydd heddiw, fel emrallt yn sâff yn wadin fy
           emosiyna i. Yn fy henaint fe erys yn heini....Yn
           sgleinio.

Edna: Ond mi wnes di dresmasu ar fy mhriodas i. 'N
           rheibio fi. A sarnu hyd y mywyd i. A ma olion dy
           garnau di yno o hyd. Mi fuos di yn lwcus yn colli
           dy go'. A ngadael i hefo'r cofio uffernol. Hefo
           gormes a gordd cofio. A deud "Nos Dawch!" wrtho
           fo a "Hello" wrth y Gin. Doedd gin ti mo'r hawl!

           Mae Edna'n ymosod ar Edith.

Edith: *Yn ei gwthio i ffwrdd.*
           Naddo! Wnes i ddim anghofio! Mi rosodd yna! Fel
           ar noson o haf a'r haul wedi mynd, ti'n rhoid dy
           law ar lechan a'i chael hi eto'n gynnes. Teimla
           lechan 'y nghalon i.

Edna: Ia! Ti'n iawn! Carrag ydy dy galon di. Calon-garreg
           hen bitj galad... A'i fodrwy fo ar y mys i... Y cylch

bach aur... Tragwyddol.

Edith: Laswˆ ydy modrwy. Rhywbeth sy'n dy ddal di er
           mwyn dy dagu di.

Edna: Sut gwyddos ti? Fuo gin ti 'run erioed! Hen
           ferch!... Ond nid cymar cyfartal yr oedda ti yn
           chwilio amdano fo ond rhywun i dy achub di.
           Dyna negas dy holl fywyd di: Achubwch fi! Hefo dy
           wynab oen swci!

Edith   'N achub i! 'N achub i o be'?

Edna: O ddyfnder petha! Ac felly o boen petha! Dynas
           dwˆr bâs fuos ti erioed yn cogio bach ddwˆr mawr.
           Darllen am fywyd oedda ti ac nid ei fyw o. Yn
           llyfrgell deidi dy emosiyna' hefo antiseptig geiria'.
           Mi oedd dy stormydd di o hyd yn rhai prydferth.

Edith: A chditha! Meddiant arall oedd Jac i ti i'w
           ychwanegu at dy feddiannau erill di. Amddiffyn dy
           hun hefo geriach ac arian oedda ti wastad. Pan wyt
           ti'n priodi rhiwin arall priodi unigolyn wyt ti ac nid
           estyniad ohono chdi dy hun fel rhyw gonsyrfatori
           UPVC yn ben dduyn ar ochor dy dŷ di. Wrth eu
           priodi nhw eu gollwng nhw yn rhydd wyt ti yn ei
           wneud ac nid eu caethiwo nhw. A chaethiwo Jac
           wnes di. Hefo cadwynni cariad. *Peth* oedd o i gyd
           fynd â gweddill dy wardrob drudfawr di.

Edna: A be'n hollol oedda ti iddo fo felly?

Edith: Drws agored y medra fo fynd drwyddo fo i le
         gwahanol ynddo fo'i hun. A tydwi ddim yn
         edifarhau! 'Does 'na'm arlliw o'r gair Sori! yno i!
         Mi syrthiais i mewn cariad.

Edna: Mi syrthiais di mor isel!

Edith: Na! Nid syrthio mewn cariad. Dwi'n tynnu
         ngeiriau nôl! Sefyll mewn cariad wnes i!

Edna: Ildio i emosiwn cariad wnesdi! A'i
         chwitchwatrwydd o. Ffordd o fyw ac o feddwl ydy
         cariad. Rhywbeth y mae'n rhaid i ti ei ail-ddewis
         yn ddyddiol, feunyddiol. Ewyllys ydy o nid
         angerdd.

Edith: Dewis dilyn be oeddwn i yn ei wybod fyddai
         ngwneud i'n hapus a damnio'r canlyniadau. Mi
         ddwynais i dy ŵr di. Dan dy drwyn ffroen-uchel,
         dosbarth canol di. Yn ôl rheola confenshwn dwi
         fod i deimlo'n uffernol, yn euog ac yn llawn
         cwilydd. Yn llanasd moesol. Ond tydwi ddim
         weldi! Hefo fo mi ddois i yn fyw! Mi gododd o haul
         yr haf o'r gaeaf oedd yno yn brysur feddiannu
         mywyd i.

Edna: A chreu diffyg ar 'n haul i...

Edith: Byw yn y foment wneshi!... Oherwydd mod i'n

gwbod mae hwn fyddai'r un cyfle guthwni. Ildio i'r angerdd a'r angerddol a thorri'r rheola Byd rusc. A mi ddewishais i weithredu ar hynny.

Edna: Ond mae 'na ganlyniadau i hynny! Siomiant a difrod! Diflastod a deffro i'r oerni wedi'r tanbeidrwydd. Pili pala o beth ydy teimlad! A bedlam bywydau wedyn.

Edith: A mae 'na ganlyniadau o gadw rheolau hefyd. A gwarchod sefydliad priodas sydd fel pob sefyliad arall yno i greu Awdurdod – A fawr – ffuantus. Ofn bod amser yn drech na theimlad. Edrych yn ôl parhaol dros ysgwydd y blynyddoedd hesb. Brathu dy wefus yn y drych wrth gofio petai a phetasai. Dewis byw hefo canlyniadau gwahanol i ti ddaru mi...

Edna: Cariad!... Yr hyn yr yda ni'n hwyrfrydig i'w gydnabod ydy'r dinistr sydd mewn cariad... Cariad!...

Edith: Corff ciami sy'n methu. A theimladau yn dal yn eu haf...

Edna: Mae yna ddwy yn trigo tu fewn i gariad bob amser...

Edith ac
Edna: Un sy'n fythol heini ac yn wynias parhaus a'r llall yn hen ac yn diferyd o drugaredd. Dwy efeilles yn

48

cadw o ffor ei gilydd yn hen honglad y gair
Cariad... A withia'n rhannu panad....

Edna: Gweddwon yda ni'n dwy...

Edith: Pryd oeddo waetha i ti?

Edna: Pan oedd hi'n braf...

Edith ac
Edna: Mae pob marwolaeth yn waeth pan mae'r haul yn
          twnnu. Mi oeddwn i'n dyheu am iddi hi biso bwrw
          bob dydd...

Edna: Ond mi sylweddolish i rwbath...

Edith: A be oedd y rhwbath hwnnw?

Edna: Nad y chdi oedd y ddynas arall... Ond y fi. Mi es i i
          set gefn ei fywyd o... Be wnaeth Jack i ti?

Edith: Fy nghlwyfo fi â llawenydd... Ond weithia mae
          hapusrwydd ei hun yn waeth na'r unigrwydd yr
          wyt ti'n trio ffoi rhagddo fo... A mi rwyt ti isho
          dengid o'r dedwyddwch i'r unigrwydd yn ôl... Be
          wnaeth o i ti?...

Edna: Ha! Gosod lein ddillad imi! 'Doedd 'na neb fel Jack
          am osod lein ddillad. A ma 'na rwbath yn sâff am
          lein ddillad!... Gwefr wedyn leiniad o ddillad glan
          yn y gwynt ar fore Llun... Cynfasau'n clecian...

49

tronsys a blowsys fel petai nhw'n clapio...
Cymeradwyo'r dydd...

Edith: A sut buodd hi rhyngo chi wedyn?

Edna: Fel sbïo ar 'n gilydd drwy baen o wydr... Paen fel
poen... Dim ond newid un lythyren fechan, ddi-
nod sydd raid iti, chdi sy'n caru geiria. A rhoid O
crwn fel modrwy briodas yn ei lle hi... Un llafariad
a ma dy fyd di'n dymchwel... Poen fel paen....

Edith: Ond fy ngadael i ddaru o yn y diwedd. Nid dy
adael di!

Edna: Dwad yn ôl ata i ddaru o! Hefo chdi rosodd o! Mi
o'n i'n gwbod hynny. Ond cachgi oedd o sdi. Fel
pob dyn yn y bôn!... Cariad ein hugeiniau oedd
cariad Jack a fi. Cariad a'i wreiddiau llac yn ein
dyddiau coleg ni. Cariad hefo cynlluniau am y
dyfodol yn sownd wrtho fo. Cariad oedd yn mynd i
esgor ar blant a mynd i brynu semi! Un mawr! A
char newydd bob yn ail flwyddyn a pheiriant
golchi a thymbl driyr. Cariad drôdd yn betha.
Cariad sydd mewn peryg o gyrraedd dadrithiad yn
y diwedd... A'r cynllunia'n cyrraedd fesul un ac un
a dim byd wedyn... Cariad canol oed oedd dy
gariad di a Jac. Cariad oedd yn medru gwirioni ar
rychau dy fol di. Nad oedd dadfeilio 'n menu dim
arno. Nid llyfnder cnawd ifanc ond dotio ar y
tolciau. Cariad oedd yn ffeindio cwmpeini ac nid
blys. Cariad er ei fwyn ei hun. Ac os wyt ti am

gadw priodas mae'n rhaid iti fedru croesi o'r naill
gariad i'r llall. Mi fethodd Jack a fi wneud hynny...
Sbïa ar y lluad yn fancw. Ar 'i hannar bellach...

Edith: Ei siap o fel siap orenjis a lemons ar yn ail a'i
gilydd oedda ti'n 'i gael mewn bocs crwn a seloffên
ar 'i guad o adag Dolig...

Edna: A swgwr yn bobman... A'r holl felysder... Ty'd!

Edith: Ond dwimisho!

Edna: Ty'd.

Edith: Gad mi fod ym mharadwys y gwynder.

Edna: Paradwys! Rhywbeth y mae'n rhaid i ti ei golli yn
wastadol ydy paradwys. Tyda ni ddim wedi'n
gneud ar gyfer paradwys. Diflastod a thrais yn y
diwedd ydy pob iwtopia. Pobol yda ni. Mae'r
meiriol yn digwydd. Weli di? A dim ond yn y
meiriol yr wyt ti'n ffendio brics a mortar pwy wyt
ti. Fano'n unig y medar cariad ddigwydd. Yn ei
dlysni a'i ffyrnigrwydd. Hefo'i gusan a'i gyllath.
Fano mae iaith. Prydferthwch geiriau. A'u
celwyddau nhw. Mond yn fano y medri di ddysgu
trugaredd. Yn yr ymdrech. Yn yr ymgodymu. A'r
sdraffaglio di-ddiwedd... Ty'd....

Edith: Ond be am dduw?

Edna: Be amdano fo? Ty'd.

Daw Calumn i'r fei wedi ei wisgo mewn dillad toff o 30au'r ganrif ddiwethaf a racet dennis yn ei law.

Calumn: Mae'r ystafell yn barod. O'r diwedd. A mae'n nhw i gyd yn aros.

Edna: Ty'd.

Edith: Ty'd.

Edna yn estyn ei llaw yn araf at Edith. Edith yn araf yn cydio ynddi. Y tri yn gadael.
Callum yn gadael i'r ddwy ddiflannu. Mae o yn troi rownd. Edrych o'i gwmpas. Gwisgo radiomeic.

Callum: Ti yna?... Do!... Do!... Mi aeth yn iawn duw!... Ddudais i wrtha ti mai felna fydda hi.... Do!... Cer drwy'r schedule! Y bus ... Yr eroplen!... Iesu fedrai'm gneud y bus a'r eroplen un ar ol llall siwr!... Ti'n gwbod be ddigwyddodd o'r blaen hefo'r bus 'na!... Wrth gwrs na fydd 'na ddim byd wedi newid ond tydi hynny ddim yn newid sut fydda i'n teimlo!... Rho'r eroplen gynta' a gad y bus tan fory...
Na nid passenger oedd hi... ma' dy go di'n mynd achan... military oedd hi. Chwech oedd arni... am y Boeing ti'n feddwl a'r pumpcant... a ma' honno'n

52

dal ar y runway... dwi'n ei gweld hi rwan dydw!...
Wel tyd a'r lleill yn ol gynta' ta... Na!
Chymrai mo'r bus heddiw! Ma'n ormod! Ti'n
gwbod fel rydwi hefo plant! ... Reverse order
ar y schedule ta. Rheina'n ol gynta'... Be ti'n
feddwl y bydda nhw'n cofio! Sa neb yn cofio! ...
Dwi'n deutha chdi fydd na ddim byd wedi
newid!... Yr eroplen ar ol y break. A'r bus fory!...
Na drennydd! Drennydd sa well gen i... Iawn!...
Iawn!

Callum yn clirio ac yn ail osod petha' yn yr eira.
Edrych o'i gwmpas. Wedi ei foddhau.

Callum: Gei di agor y drws.

Pyls anferthol o oleuni. Deunod y gôg.
Y goleuni'n gostwng i ddangos tirwedd enfawr o
eira.
Lluwchfeydd. Yr ochrau yn hollol ddu.
Yn y man daw dwy hen wraig i'r fei.
Edith (tro yma) yw'r cyntaf i ymddangos. Mae
hi'n tynnu fram Zimmer fel sled ac arno gês
costus (math Antler). Bathing costume ffasiynol
amdani; sbectol haul ddrudfawr; het haul;
binoculars am ei gwddw.
Ychydig wedyn daw Edna (tro yma) o'r cyfeiriad
arall yn trïo gwthio cadair olwyn hen drwy'r
eira.
Mae'r gadair olwyn yn llawn dop o'i 'phethau'
mewn carrier bags. Yn y gadair olwyn hefyd y

mae deck chair rhâd. Amdani hithau y mae
bathing costume ond ddim hanner mor grand ag
un Edith.

Mae Edith yn edrych drwy'r binoculars hwnt ac
yma. Mae'n pendronni a meddwl.
Ochneidio.
Mae hi'n sbïo ar Edna ac am ddweud rhywbeth
wrthi ond yn penderfynu ymatal. Sbïo eto drwy'r
binoculars. Un ochenaid fawr.

Edith: Damia!

Tywyllwch sydyn na welwyd mo'i fath.

Chwilys

drama gan Aled Jones-Williams

Cwmni Theatr Tandem
(mewn cydweithrediad â Theatr Bara Caws)
ar daith 20fed Mawrth – 10fed Ebrill, 2010
ac yn Theatr Beaufort, Eisteddfod Genedlaethol Cymru
Glyn Ebwy a Blaenau'r Cymoedd 2010

Yr actorion: Owain Arwyn Owen a Martin Thomas

Cyfarwyddwraig: Valmai Jones
Cynllunydd: Gwyn Eiddior
Goleuo: Sîon Gregory a Tirion Roberts
Sain: Dic Roberts
Pypedau ac ati: Kate Smith

*Fflat cymharol foethus. Ond awgrymu fflat yn unig sydd
raid. Bwrdd bwyta mawr a chadeiriau o'i amgylch. Drws
i'r fflat. Wardrob digon mawr i gael dau ddrws iddo a
drych ar bob drws. Hwn rhywsut yw canolbwynt y set. Un
o luniau Matisse yn amlwg ar y wal – yr un sy'n cael ei
alw'n Pink Nude efallai? Shilff ac arni dorreth o lyfrau.*

*Daw Dyn 1 i mewn ar ruthr yn cario tec-awé mewn tré
polystyrene. Mae wedi ei wisgo mewn jeans, crys-T,
trainers. Mae'n dechrau llewcio'r bwyd yn syth o'r tré gan
eistedd yn y man wrth y bwrdd. Mae'n ffonio ar ei ffôn
symudol.*

Dyn 1:   Ceri! Mi fyddai o leia hannar awr yn hwyr... Buta'n
           sydyn... Dwi'n gwbod fod 'na fwyd!... Byrgyr a
           tjips... Newid... Oce! Oce!... Rho hannar awr
           bendith dduw... Wel y fi ydy'r star blydi turn...
           Deud be fynni di wrthyn nhw... Car cau sdartio!
           Neith hynny'n iawn!... Oce!... Dwi'n mynd reit!...
           Wrth gwrs 'y mod i!... Garu di!... Yndw!... Dy garu
           di!... Na does na neb arall! Clwad!... Dwi mynd!

           *Diffodd y ffôn. Codi a rhoi'r peiriant C.D. ymlaen:
           Mozart, Ein Kleine Nachtmusick. Mae'n ymlacio
           rhywfaint. Llewcio mwy o fwyd. Dechrau tynnu
           amdano hyd at ei drôns. Sbïo arno'i hun am yn
           hir yn un o ddrychau'r wardrob. Ogleuo o dan ei
           geseiliau. Mynd i nôl deodorant a'i chwistryllu
           hyd-ddo hun. Teimlo ei ên. Agor drws y wardrob
           a dewis crys o blith lliaws. Ei wisgo. Symud i'r ail
           ddrych a sbïo'n hir arno'i hun. Mae'n troi'r*

miwsig i lawr. Adrodd i'r drych fersiwn o'r araith
y bydd yn ei dweud toc.

Nid mewn geiriaduron y mae cael hyd i ystyr gair.
Mae hynny'n hawdd! Nid ystyr gair ydy'r peth ond
geoleg y gair: ei aml haenau sydd i'w canfod yn y
cyd-destun personol a gwleidyddol a hanesyddol.
Cymerwch fel enghraifft y gair Rhyfel. Taswn i'n
cyfieithu i'r Saesneg mae gen-i eiriau megis War
neu Conflict neu Hostilities. Ond mae gen-i
bellach hefyd y mwythair cyfoes Theatre – theatre
of war. O ddefnyddio'r gair Theatr yn hytrach na'r
gair Rhyfel mae'r syniad yn ymestyn ar ei ganfed.
Mae cyflafan rwan yn dwad a Shakespeare a
Saunders i mewn: eironi cyplysu diwylliant hefo
dinistr; Blodeuwedd ac R.P.G.; Hamlet a W.M.D.
Eich profiad personol chi o weld drama hefo corff
shwrwd wedi i fôm-ymyl-lôn ffrwydro. A dyma'r
union wefr a'r anhawster wrth gyfieithu cerddi
Alibii, bardd a dramodydd y mae ei waith o wedi ei
ddaearu'n uniongyrchol yn y cadau diweddar
rhwng Irac ac Iran. Sut mae bardd gora'i wlad yn
trin rhyfel fel Theatr. Felly nid pa air sy'n cyfateb
yn y Gymraeg i'r Iraneg gwreiddiol yw'r peth, ond
sut mae cyfleu geiriau sydd wedi eu mwydo mewn
hanes un dyn a'i wlad a'i gwasgu nhw'n dyner i
ollwng o'u gafael nid ystyr ond eu mêr. Y gwasgu
yna ydy cyfieithu. Trosi ydy unrhyw beth arall.
Cyfleu ias ac aml gysgodion un gair yn ei mise-en-
scéne cynhenid... O! ffwcio fo, rwbath felna fydd
hi...

59

Mae'n troi'r miwsig fymryn yn uwch.
Mae'n agor drws arall y wardrob er mwyn dewis
trowsus. Cama Dyn 2 yn syth allan o'r wardrob.
Mae Dyn 2 wedi ei wisgo mewn topcôt ddu, siwt
ddu, crys a thei. Mae'n hynod o drwsiadus. Mae'n
cario cês ac ynddo laptop a nifer o bethau eraill.
Wrth gamu o'r wardrob mae'n dweud yn syth:

Dyn 2:   Dwi'n licio Mozart! Ond nid y Mozart cyfarwydd.
          Eine Kleine Nachtmusick a'r petha neis-neis ma
          nhw'n i chwara ar Classic FM. Neu yn gyfeiliant i
          ffilmiau megis Elvira Madigan. Pa gonsierto i'r
          piano ddaru nhw'i ddefnyddio i'r ffilm honno? Ti'n
          cofio? Ti'n gwbod? Ti'n iawn? Neu pa Mozart oedd
          ar Out of Africa? Y Mozart dwi'n 'i licio ydy Mozart
          y Maurerische Trauermusick. K477. Mozart y
          cnebrynga Masonic. Mozart pan mae o'n
          defnyddio G-leiaf. Mozart ar ei fwyaf dwys a dwfn.
          Nid cweit lleddf. Ond Mozart profundis. Ma gin ti
          ddillad da. Chwaeth! Tasd! Mi oedd gin y Nhad
          dasd. Wel atab fi: ti'n iawn?

          Wrth ddweud hyn mae'n mynd o gwmpas y lle'n
          hamddenol ond hefo awdurdod. Mae'n trefnu ei
          gyfrifiadur. Mae'n cloi y drws. Mae'n pocedu ffôn
          symudol Dyn 1.

Dyn 1:   Pwy da chi?

Dyn 2:   Nid dyna'r cwestiwn! Y cwestiwn cywir ydy: Pwy
          wyt ti?

Mae Dyn 1 yn mynd i gyfeiriad y cyfrifiadur er mwyn cael gweld beth sydd arno. Dyn 2 yn ei wthio i ffwrdd yn dyner.

A-a! Er fy mudd i ma' hwnna!

Dyn 2 yn deialu ar ei ffôn symudol ei hun. Heb oedi:

It's done!... Sure!...

Mae'n tynnu ei gôt a'i hongian ar hangyr yn destlus yn y wardrob. Mae'n tynnu ei siaced a'i gosod yn daclus ar un o gadeiriau'r bwrdd. Mae'n gwisgo gwn mewn holstyr. Mae'n sbïo ar Dyn 1 a gwenu'n ffeind. Mae'n mynd yn ôl at ei gyfrifiadur. Darllen ac edrych ar Dyn 1 ar yn ail. Mynd i ddweud rhywbeth wrtho ond ymatal. Mae'n tynnu offer deintyddol wedi eu lapio mewn cwdyn o'i gês. (Mae'n nhw'n sgleinio). Eu gosod fesul un yn destlus ar ymyl y bwrdd. Mae'n edrych yn ei gês a synnu braidd. Mae'n tynnu pyped o'r cês – un mawr, hyll iawn – a'i roi am ei law. Mae'n rhoi ei law arall ar ei geg a chymryd arno daflyd ei lais i'r pyped ac mewn llais gneud:

Dwi ddim yn gorfod defnyddio rhein yn amal, Mistar!

Sbïo ar y pyped. Ei lais go-iawn.

Plant!
Taflu'r pyped yn ôl ir cês.

Un dwrnod 'nde mi welishi un ohonyn nhw'n trio
sgwennu ar y wal hefo be o'n i'n 'i feddwl oedd felt
tip permanent marker. Hei!, medda fi. A sdibe o
gynno fo – silencer hwn *(pwyntio at ei wn)*. 'Na ti
flêr fuo fi!... Dwin'n ddyn cysact gyda llaw.
*Mae'n codi pliars tynnu dant a'i agor a'i gau
drosodd a throsodd yn gyflym.*

Y crocodeil bach dwi'n galw hwn.
Sdedda! Plis!

Dyn 1:   Nana!
Dyn 2:   Plîs!

Dyn 1 yn ufuddhau.

Meindio os gai tjipsan?
Ych! 'Im byd gwaeth na tjips oer nag oes? Ga-i
ofyn cwestiwn? Heno mi roeddat ti a Ceri
Hammond i fod yn...
(Mae'n darllen o'r cyfrifiadur)
Yr Academi Gymreig mewn cydweithrediad â
Faber and Faber yn gwahodd - chdi! – a Ms Ceri
Hammond... Ms! Be ddigwyddodd i'r hen air
rhadlon Miss?... Miss! A Mrs! Geiriau pendant
hefo moesoldeb clir o'u mewn nhw... I ble raeth y
gair Miss dybed?... Yn gwahodd – chdi! – a Ms
Ceri Hammond i noson gyhoeddi cyfieithiad

Cymraeg o gasgliad diweddaraf Igmar Alibii: Baich
Dweud... a'r teitl Saesneg mewn parenthesis (The
Ordeal of Saying)... Sdibe! Dwi'n licio petha mewn
parenthesis! Fel petai'r awdur ar awr wan ar fin
newid ei feddwl ond yn peidio. Ar betha mewn
cromfachau y bydda i 'n edrach o hyd. Ta waeth!
(Mae'n cario mlaen i ddarllen) Y cyfieithiad
Cymraeg gan – chdi! – Canapés a gwin ar gael... A
dyma ti'r cwestiwn! Barod! Pam ti'n buta tjips a
byrgyr pan ma'r bobol bach ma yn yr Academi
wedi mynd i draffath i 'neud canapés ar dy gyfar
di? Pam?

Dyn 1:   Yda chi 'rioed wedi gweld maint canapés? A na!
          Tydwi ddim yn mynd i ofyn sut y cutho chi afael ar
          y gwahoddiad yna.

Dyn 2:   O! Dyn heb chwilfrydedd! O le ges di'r tjips?
          Hwnna ydy'r cwestiwn! Be oedd enw'r shop?
          Distawrwydd.
          Mae Dyn 2 yn chwarae hefo'r crocodeil bach.
          Mae'n codi offeryn crafu dant a chogio bach fela
          ag un o'i ddanedd ei hun. Ei roi i lawr.
          O ble ges di'r ffycin tjips?

Dyn 1:   Ramani's amwni!

Dyn 2:   Amwni!... Ti'n gweld... a dyma mhenbleth i... mae
          'na ddwy shop tjips yn y cwr yma sy'n cael eu cadw
          gan Gymry Cymraeg a dwy arall y mae Prydeinwyr
          eraill yn morol amdanyn nhw a mi rwyt ti yn

dewis... yn dewis!... prynu dy tjips mewn siop Paci!
Pam?

Dyn 1:   Tjips ydy tjips, bendith y tad!

Dyn 2:   O! naci! Ma dewis dy shop tjips yn fwriad
gwleidyddol... The post-mortem results showed...
Mae'n gwenu ar Dyn 1.
Mae'n codi rhywbeth tebyg i fag neu gwdyn du o'i
gês.
Be' dy' hwn dwa?
Ffôn Dyn 1 yn canu ym mhoced cot Dyn 2 yn y
wardrob. Mae'n mynd i'w nôl ac edrych ar yr
enw.
Ceri! Bechod!
Mae'n diffodd y ffôn. Ei chwifio'n uchel. Taflu'r
ffôn i fasged sbwriel.
This person's mobile is switched off... Person! *(Ag*
un llaw:) Man! *(Â'r llaw arall:)* Woman! Clir!
Pendant! Nid yr annelwig Person! Person *(yr*
ynganiad Cymraeg) yn y Gymraeg ydy dyn hefo
colar gron...Showed *(ynganu'r 'O' yn Showed fel*
un hir.)

Mae'n edrych ar shilff lyfrau Dyn 1. Rhedeg ei fys
ar hyd y meingefnnau.

Diddorol!.... Ond dwi'n sylwi nad ydy Montaigne
ddim yma! Wyt ti 'rioed wedi darllen Montaigne!

Dyn 1:   Arglwydd! Tydwi ddim isho dim byd French!

'Nenwedig ar ôl y tjips!

Dyn 2: Touché!

Dyn 1: Wel! Iaith ddiarth! Anghyfiaith! Dyn clyfar o
mlaen i ma raid!

Dyn 2: Ti 'di gweld bag plastig erioed, un o Pepco, wedi ei
ddal mewn mieri ar dir comin yn tynnu a thynnu
yn erbyn y gwynt, yn methu'n lân â dengid? Do?...
Ond Montaigne!
Mae'n dyfynnu o'i gof:
I give my soul now one face, now another,
according to which direction I turn it. If I speak of
myself in different ways, that is because I look at
myself in different ways. All contradictions may be
found in me.

Dyn 1: Ac yn y gwreiddiol?

Dyn 2: Mi oedd Shakespeare medda nhw wedi darllen
Montaigne. Wt ti'n un o'r bobol ma sy'n meddwl
fod coc dyn du yn fwy na coc dyn gwyn? Neu da
chi'n meddwl fod coc dyn gwyn yn llai na coc dyn
du? Yn y gystrawen ola' 'na ma' niddordeb i. Ym
meddylfryd y llai. Nalld i?

Dyn 1: Sgeptig oedd Montaigne.
Plis gai fynd!

Dyn 2: Mynd i lle? Ti adra! Be haru ti! Dyma dy gynefin

di! Dengid yn ôl adra ma pobol isho pan ma nhw'n teimlo rhyw fygythiad. "Pan dybiwyf ryw farwolaeth dan y fron." I Gymru! I Brydain! Adra! Ymlacia! Ti adra'n barod! Mi wyt ti ar be ma nhw'n 'i alw bellach yn Staycation! Cymryd dy wylia adra! Ti 'di clwad y gair newydd yna? Da ni yma i warchod dy adra di... A! Touching the Void *(Mae'n tynnu'r llyfr o'r shilff.)* Ti'n ddringwr ma raid! Mae'n darllen o'r cyfrifiadur: Attended Plas-y-Brenin Mountaineering Centre, Snowdonia whilst at Sixth Form College.

Dyn 1:   Arglwydd! Wsos un ha' a mi ges bendro. Mi fuodd raid i Nhad ddwad i nôl i.

Dyn 2:   Chwara teg iddo fo! Dringo yn yr Himalayas. Be fyddi di'n 'i ddeud: Him-aléas ta Him-alías? Pa ynganiad? Yr Him-aléas neu yr Him-alías sy ddim yn bell o Pacistan sy ddim yn bell o Affganistan!

Dyn 1:   Awstralia sydd ddim yn bell o Affrica sydd ddim yn bell o 'Merica.

Dyn 2:   A be sy gin ti yn erbyn America? Fuos di yn Pacistan erioed? Gwlad y tjips. Dangos dy basport!

Dyn 1:   Gwrandwch!

Dyn 2:   Dwi yma i wrando!

Dyn 1:   Os ai rwan mi fyddai mewn pryd i'r cyflwyniad.

Disgrifio'r broses o gyfieithu. Fel yr oedd yn rhaid i mi ffendio'r priod-ddulliau Cymraeg oedd rhywsut yn cyfateb i'r idiomau yn yr iaith wreiddiol. Cyfieithu gwrid gair yn hytrach na'i ystyr lythrennol o. Mae ffwndamentaliaeth wedi dinistrio iaith drwy grebachu geiriau i'w hystyron yn unig...A dyfeisio rhythmau newydd. Mewn gwirionedd...

Dyn 2: Mewn gwirionedd! Wyt ti mewn gwirionedd?

Dyn 1: Mewn gwirionedd mi roedd y gynghanedd yn gweddu i'r dim. Oherwydd chi'n gweld mae rhythmau barddonol Alibii yn siwtio'r gynghanedd. Lot gwell na'r mesurau rhydd yr ydwi, fel bardd yn llawer hapusach â nhw. A mi glosiodd hynny fi at y mesurau caeth. Cynt rhyw wamalus oeddwn i o gynghaneddwyr, a nhw ohono finna. Pan enillais i'r goron... Ac os cai fynd rwan wnaiff neb goelio hyn. Dyn yn dwad allan o wardrob! Fel mewn rhyw ddrama. Ffwc!

Dyn 2: Yn hollol! Fasa na neb yn credu dim o hyn! Dyna dlysni petha! A dyna loes petha hefyd: neb yn credu dim!

Dyn 1: Neu falla swni'n medru mynd am jog. I sdwytho! A mi ddoi'n syth yn ôl. Wir yr!

Dyn 2: Be'? Rwan? Jogio! Na! dwi ddim yn meddwl fod hynny'n bosib rwsud. Wir yr! Pasport!

67

Dyn 1:   Mae o'n fana!

Dyn 2:   Wel cer i'w nôl ta!

Dyn 1 yn mynd i nôl y pasport.
Ei roi i Dyn 2.
Dyn 2 yn cydiad yn hegar yn llaw Dyn 1 nes peri
iddo ollwng y pasport.

O! gwinadd budron
Gad mi llnau nhw iti!
Mae'n glanhau ei ewinedd ag un o'r offerynau
deintyddol.
Agor dy geg!
Archwilio ei geg.
Mm! Ond nid deintydd mohonof.
Yr offer yn unig sydd eiddo fi.
Sdedda!
Dyn 1 yn eistedd mewn cadair wahanol.
Nid yn honna yr oeddat ti'n eistedd! Dos i'r gadair
iawn. Yn ôl!

Dyn 1 yn uffuddhau

Ti'n hogyn da sdi! Pasport!
Côd o neidi!
Dyn 1 yn ufuddhau a'i roi i Dyn 2 a mynd yn ôl i'r
gadair gywir.

Dwi'n shwr dy fod ti pan oedda ti'n rysgol fach yn
dal dy ddŵr tan amsar chwara.

Dyn 2 yn cymharu'r pasport â'r wybodaeth sydd ganddo ar y cyfrifiadur.

Ma gin ti basport arall yn rhwla.
Oherwydd tydy visa Pacistan ddim yn hwn.

Dyn 1: Am na fûm i erioed yn Pacistan! Dyna pam!

Dyn 2: Lled-odl hwnna! Pacistan a Pam!

Dyn 1: Paid a deud dy fod ti'n gynganeddwr hefyd! Neu ma hi di cachu arnai!

Dyn 2 yn edrych ar y llyfrau.

Dyn 2: Dwi'n rhyfeddu nad ydy Dawkins gin ti!

Dyn 1: Dwi ddim yn licio Ffwndamentalwyr!

Dyn 2: Lle ma'r pasport arall? Lle mae o?... Ond na thralloder dy galon!... Neith o'n munud!... Oti'n sôn gynna fach am jogio. Un cwestiwn fydda i isho'i ofyn i jogiwrs bob amser: rhedag oddi wrth rwbath yda chi ta rhedag at rwbath? Ond dim otj! Wir yr! Ond sôn am ysgol fel rodda ni, mathemateg oeddwn i'n 'i licio'n rysgol. Tisho gwbod pam, Pacistan? Oherwydd nad oedd yna ond un ateb posibl. Un ateb cywir! A'r lleill i gyd yn anghywir. Y rhai gau. Y gwir a'r gau!

Dyn 1:   Mathemateg ysgol gyfun ydy hynna! Chlywsochi rioed am Heisenburg a'r Uncertainty Principle.

Dyn 2:   Pan mae afal yn disgyn o goeden am i lawr mae o'n mynd yn ddiffael. Sicrwydd, washi! Un ateb cywir... Mae gin ti gopi o'r Coran yn fana! Pam?

Dyn 1:   Os sbïwch chi'n iawn ma 'na gyfieithiad o'r Gita yna hefyd. A'r Upanishads. A diweddariad o'r Mabinogi.
Diwylliant ydy'r gair yr yda chi'n chwilio amdano fo dwi'n meddwl. Trïo deall y byd yn ei amrwyiaethau anhygoel.

Dyn 2:   Ond 'run Beibil! Mae'r gwacter ar dy shilffoedd di lle dylai'r Beibil fod yn huawdl! Yn siarad cyfrolau... eraill! Wyt ti'n deud dy Bader?

Dyn 1:   Agnostic ydwi.

Dyn 2:   Agnostic! Enw ar gliw? O! na Evostic oedd hwnnw! Gas gin i ddyn sy'n methu penderfynu'r naill for' na'r llall. Shht! rwan reit. Fyddai ddim yn aml yn cyffesu wrth fy nghlientau, ond anffyddiwr ydwi. Shht! Pascal's Wager o chwith yli! Dwi'n betio nad oes yna dduw. Ac os oes 'na un yn wahanol i Pascal mi ga-i uffar o sioc. Shht! Dwi ddim yn credu mewn duw. Shht! Mae dy Heisenberg di et. al. wedi cachu rwtj ar ben hynny. Shht! Ond nid y personol ydy'r peth. Be wyt ti'n 'i gredu'n gyhoeddus sy'n cyfri. A dwi'n deud wrtha

ti, mae 'na Dduw. I do God, yli. Y cysyniad o Dduw
sy'n bwysig. Barn ar un llaw yn golygu Trefn mewn
cymdeithas ar y llaw arall. Po ffyrnica a mwya
ffiaïdd y ddiwinyddiaeth mwya gwasaidd y bobol.
Nid cariad sydd mewn gwir Ffydd ond ofn. Dangos
dy Feibil imi! Heb amgyffrediad o Gristionogaeth
tydy Prydeindod ddim yn bosibl. Dy wehelyth di.
Teyrngarwch ydy'r gair yr wyt ti'n chwilio amdano
fo dwi'n meddwl! Dangos dy Feibil!

Dyn 1:   Mae o'n tŷ Mam dwi meddwl.

*Dyn 2 yn codi'r pyped o'r cês ac yn ei wisgo a
thaflu ei lais.*

Dyn 2:   Mae o'n tŷ Mam dwi meddwl.

Taflu'r pyped yn ôl i'r cês.

Chwara teg i dy Fam! Yr hen garpan!
Edrych ar ei gyfrifiadur.
Damia! Ddim mor hen â hynny chwaith! Rwan ta!
Y pasport! Nid yr un cudd. Mi ddown ni at
hwnnw! Ond hwn! Mi fuos di'n Sbaen!

Dyn 1:   Do! cofiwch. Fel miloedd o'ch cyd-Brydeinwyr erill
chi!

Dyn 2:   Ond nid yn yr un wythnos â'r bomio yn Madrid!
(Edrych ar ei gyfrifiadur.) Mae'r dyddiadau'n
cyfateb!

Dyn 1:   Ond yn Seville *(ei ynganu fel yn y Sbaeneg: Sefiá)*
           y bûm i!

Dyn 2:   Seville *(yr ynganiad Saesneg)* fydda rhywun
           cyffredin diddrwg-didda wedi ei ddeud. Nid Sefiá!
           Mi oedd Mam yn arfer gneud marmalêd hefo
           orenjis o ... Sefia. Orennau chwerw iawn! Mae
           Sefai yn AndalwTHia. AndalwTHia! Enw
           Islamaidd ydy al-Andalus.

Dyn 1:   Na wir yr wan! Don i ddim yna adag y Moors. Dwi
           rhy ifanc o beth cythral.

Dyn 1:   Paid a ffycin cellwair hefo fi y cont bach!

           Ffôn yn canu yn ei boced.

           Mae'n ei ateb.
           W't ti!... Wel dyna dda!... Ddudish i fod dy sdori
           di'n un dda'n do... Na, ma Dad yn gwaith... Na, ma
           hi'n rhy hwyr i fynd i'r hosbitol i weld Mam heno
           sdi... Do... Pnawn 'ma... Na dodd Mam im isho
           bwyd... A mi odd hi isho fi ddeud Caru mêl,
           Caramél wrtha chdi... Di lleill yn iawn?...
           Dunw'nbihafio?... Toc... Ond fy' di yn dy wely
           erbyn hynny'n byddi di... 'N byddai di!... Cofia di
           'wan!... Ta-ta, cariad... Ia!... Caru mêl, Caramél
           Mae'n diffodd y ffôn
           Plant!
           Dangos y ffôn
           Fel dau basport! Dau o'r un peth! Handi! Fuo fi yn

y theatr nithiwr. Hamlet… Jude Law fel Hamlet. Ta Hamlet oedd Jude Law dwa? Cwestiyna fela sy'n ddiddorol am y theatr yn de!

Dyn 1:   Mae'r theatr yn le llawer rhy beryglus i bobol fel chi. Y theatr ydy'r unig beth ar ôl a eill newid pobol. Mae pob dim arall wedi ei sbaddu.

Dyn 2:   Sdibe! Dwi'n cofio dro'n ôl weld cynhyrchiad o Godot. A thu allan be oeddna'n de ond trempyn – ych! o drempyn yn gachu ac yn gwrw i gyd – a mi ddath na blisman i'w symud o. Be' sani'n i neud heb blismyn! A thu mewn ar y llwyfan mi roedd 'na ddau designer tramps. 'Na ti uffar o jôc dda. Ha-ha! Glywai di'n deud! Ti'n hollol anghywir. Tydy'r theatr bellach ddim yn beryg i neb. Dyo'n newid neb. Mae'r avant-garde yn y diwedd bob amser yn troi'n mainstream. A'r dosbarth canol yno i gymeradwyo. Sa'm balls yn y geiria mwyach. Fydda i'n licio dramas am fywyd yn y cyfrynga sdi. Ti licio miwsicals? Andrew Lloyd Weber. 'Na ti foi theatr. A dwi newydd gofio pan o'n i'n Fform Wán yn rysgol y cwestiwn mawr am y flwyddyn wedyn oedd: 2B or not 2B.

Dyn 1:   Ma gin ti fodrwy briodas!

Dyn 2:   A pham fod hynny'n syndod? Wt ti fel dy debyg yn meddwl mai afiechyd ydy priodas? Ma'n ffwcio fi'n gyfreithlon. Till death do us part…. Hyd pan y'n gwahano … angau… Drycha!

73

Mae'n mynd i boced ei siaced a thynnu ei waled
allan ac o'r waled luniau. Eu dangos fesul un i
Dyn 1.

Dyma ti Aneirin. Mae o'n naw. Llgada'i Fam a
nhrwyn i, medda nhw. I fyny i bob castia a dryga.
Mwddrwg!... Heledd ydy hon. Hi oedd ar y ffôn.
Dlws dydy hi. 'I Mam i gyd... Dlws... Chwech ydy
hi. Hen gariad bach. Er mwyn 'y mhlant yr ydwi yn
gneud hyn gyda llaw. Dwisho nhw gael byd diogel.
Tyfu mewn hapusrwydd. Y medra nhw fynd ar
drên a chyrraedd y pen arall yn gyfa. Dy blant ydy
dy ystyr di... A'r fenga! Gwion. Gwion bach. Mis o'i
ddyflwydd. Tîn y nyth... Dyo ddim yn iawn...

Dyn 1:   Mi gollis i frawd...

Dyn 2 yn codi ei law i'w ymatal rhag dweud
mwy.

Dy wraig?

Dyn 2 yn codi ei law eilchwyl.

Dyn 2:   Ti'n llifo dy walld?

Dyn 1:   O! yndw. Dwi'n gobeithio dy fod ti'n licio'r piws a'r
sdrics aur.

Dyn 2:   *Edrych ar ei gyfrifiadur.*
Dydd Iau dwutha mi esdi i Boots am chwarter

wedi tri y pnawn a phrynu yno sdwff llifo gwalld. Echdoe am un munud ar hugain wedi pump, bron cyn i'r siop gau, mi brynis di'r un peth. Pam?

Dyn 1:   Ceri! *(O rywle pell)* Ceri!... Ceri odd isho nhw. Ma hi'n newid lliw 'i gwallt byth a beunydd.

Dyn 2:   Faint o walld sgyni hi! Yn y gornel yn fana mi welai rucksack. A ma gin ti mobile. Dyro di sdwff llifo gwallt a rucksack a mobile a'r Coran a Pacistan a Sbaen hefo'i gilydd a BANG!... Mi oedd y lluniau o Orffennaf y 7ed yn Llundain yn rhy ddiawledig i'w dangos. Pan weli di'r eirch yn cyrraedd R.A.F. Lynham a strydoedd Wooton Bassett yn ôl be' wt ti'n 'i feddwl sydd yn yr eirch rheiny yn hollol? Tydy'r teuluoedd ddim hyd yn oed yn cael eu gweld nhw.

Dyn 1:   Dau beth sy'n cynhyrchu terfysgwyr! Tlodi ydy un. A methu perthyn ydy'r llall. Dy mainstream di yn gwrthod cofleidio'r bobol ar y cyrion ac yn mynnu unffurfiaeth.

Dyn 2:   Dduw-mawr-nad-ydyo'n-bod! Mi roedd 'y Nhaid yn dlawd. A laddodd o neb. Mi aeth o i Sutton Caulfield i chwilio am waith a mi gafodd gan croeso. Am farbariaid yr ydwi'n sôn.

Dyn 1:   Enw'r *Status-quo* ar y dieithryn a'r gwahanol ydy barbariaid. Iaith sy'n pellhau nid yn annwylo a chyfannu. Fel yr oedd America yn anialwch –

mewn dyfynodau! – cyn i'r Ni hollwybodus gyrraedd yno. Mi ryda chi'n llusgo iaith i'r drin. Impio geiriau ar goedydd duon eich rhagfarnau chi eich hunain a gadael i eiriaduron o gasineb flaguro'n hyll.

Dyn 2:   Am gydymdeimlad â'r barbariaid yr ydwi'n sôn. Rucksack, mobile, offer llifo gwalld, dau ymweliad â Boots mewn llai nag wythnos! Ymweliadau â Sbaen a Pacistan!

Dyn 1:   Ond fuo fi rioed yn Pacistan!

Dyn 2   Os ydwi'n deud dy fod ti wedi ymweld â Pacistan yna mi rwyt ti wedi ymweld â Pacistan. Mi ddaw y dystiolaeth wedyn. Eilbeth ydy tystiolaeth. Y sicrwydd sy'n dod gynta'. Mae yna basport coll yn yr ystafell yma... Ti'n gweld mond crafu'r wyneb sy' raid i ti yn y Brydain Gymraeg a'r Brydain Saesneg fel tai nhw'n scratch-cards A mae o i gyd yna. Jacpot pob dim da ni isho. Ma pobol bob amsar isho cadarnhâd o'u rhagfarna. Slymp yn yr economi a ma nhw fel llygod mawr yn rhuthro i dylla rhagfarn ac yn sylweddoli dros nos mai gwyn ydy lliw eu crwyn nhw. Llygod mawr, gwyn! Lle ei di ar dy wylia leni? Lle ei di? Dwi a'r plant yn mynd yn ôl i Ynys Creta... Lle'n mis mêl ni...

Dyn 1:   Dy wraig hefyd?

Dyn 2:   I bwy fyddi di'n pleidleisio mewn lecshwn? I'r

Blaid yn ôl hwn. Hen blaid bach iawn! Duw-duw! Nain neis o blaid. Ond deud: i bwy fyddi di'n pleidleisio?

Dyn 1: I be wt ti isho gwbod a chditha'n gwbod eisioes?

Dyn 2: Am 'y mod i isho dy glwad di'n deud! Dyna pam! I bwy fyddi di'n pleidleisio adeg lecshwn?

Dyn 1: Ia! I'r Blaid! A mi fyddai'n gneud hynny bellach mor ddiymadferth a hen gi defaid yn ymateb yn reddfol ond nid o frwdfrydedd i chwisel ffarmwr. Am na all y ci ddychmygu run tric arall mwyach.

Dyn 2: Llafur ydwi gyda llaw!

Dyn 1: Sosialaeth goc!

Dyn 2: Democratiaeth! Cenfigen y byd. Be mae Mullah Omar yn ei ofni.

Dyn 1: Dwi'n siwr 'i fod o'n methu cysgu'r nos yn un o ogofau Tora-Bora.

Dyn 2: A sut gwyddos di am Tora-Bora?

Dyn 1: Am 'i fod o ar y ffycin niws!

Dyn 2: Rhyw sylw bach am y sdafell ma! Sgin ti 'run Kyffin ar y wal a ma hynny'n syndod!
Mae'n edrych ar y cyfrifiadur.

Dwi'n edrych ar dy gyfri banc di yn fama a ma gin ti'r môdd i brynu Kyffin. Pam nad oes yna'r un?

Dyn 1: Am nad ydwi'n licio lluniau sâff o Gymru. Cuddio mae paent Kyffin nid datguddio. Peintio dros rwbath mae o o hyd. A merwino'n hunan-ddealltwriaeth ni hefo'i liwiau syber, hollol ddisgwyliadwy. Yr un un lle ydy Cymru ar ôl i Kyffin edrych arni. A dyna pam mae nhw'n crogi ar furiau crand y dosbarth canol. Badj ar y wal ydy Kyffin. Nid llun. Fedraim fforddio Kyffin mewn mwy nag un ystyr.

Dyn 2: Cuddio be? Mae gen i ddiddordeb mewn pobol sy'n cuddio.

Dyn 1: Y dolur llidiog hwnnw sy'n ddwfn mewn Cymreictod ac yn grawn dan yr wyneb. Rhywbeth yno ni sy'n deud yn barhaus nad yda ni ddim gwerth.

Dyn 2: Ond dwi'n sylwi hefyd fod gin ti un o luniau Matisse! Pam?

Dyn 1: Print o un o luniau Matisse! Copi! Os na fedrai fforddio Kyffin siwr dduw fedrai 'm fforddio Matisse.

Dyn 2: Y peth ydy, mi fuodd Matisse yn Morocco.

Dyn 1: Do! Mi fuodd o! Rhwng 1912 a 1913!

Dyn 2: Dim otj pryd! Morocco ydy Morocco! Mae hi'n wlad Islamaidd.

Dyn 1: Iawn eto!

Dyn 2: A ma 'na gasgliad enfawr – y gora' falla' – o'i waith o yn Rwsia. Be wyt ti'n 'i feddwl o Rwsia?

Dyn 1: Sgin i ddim barn am Rwsia!

Dyn 2: Ond mi ddylet ti gael barn am bob dim!

Dyn 1: Paid a phoeni dy enaid bach! Meistr lliw oedd Matisse. A dwi'n dotio ar ei liwiau o. Mi beintiodd hafau drwy gydol yr Ail Ryfel Byd. Chesdi 'run Guernica gin Matisse.

Dyn 2: O! A mi rwyt ti'n meddwl y dylai artist fod yn bregethwr felly. Difyrru a diddanu a mwytho, dyna ddiben celfyddyd. Fel Matisse!

Dyn 1: Na! Nid pregethu ond mae'n rhaid i bob artist gwerth ei alw'n artist ddelweddu dioddefaint neu mae o neu hi yn fforfedu'r enw a throi'n rhywun sy' mond yn copio petha yn hytrach na'i darganfod nhw. O droi oddi wrth lun fe ddylet ti droi'n ddyn gwahanol.

Dyn 2: Dylai! Fedri di ddim deud dylai! wrth artist, 'achan!

Dyn 1:   Ond y *mae*'r Wladwriaeth hefo'i grantiau a'i
            gwobrau.

Dyn 2:   Y Wladwriaeth! Mi rwyt ti'n gwbod fod yna Ni tu
            mewn i Ni yn dwyt!

            Ffôn Dyn 2 yn canu. Edrych arno.

Dyn 2:   Unknown! Fyddai byth yn ateb Unknown. Wyddos
            di ddim pwy sydd yna... Pam fod 'na grac ar wyneb
            y Tywysog?

Dyn 1:   Ma'r cwestiwn athronyddol yna wedi'n llorio fi'n
            llwyr! Pam fod 'na grac ar wyneb y Tywysog?

Dyn 2:   Y mug 'ma ar y shilff yldi! Mug Arwisgiad '69! Yn
            dal pensiliau bellach. Ma 'na grac ar draws wyneb
            y Tywysog glandeg, ifanc oedd yn medru dyfynnu
            Dafydd ap Gwilym ar lwyfan y Brifwyl a Cynan yn
            wên o glust i glust a mwstash Tom Parry'n twitjan.
            Ydy'r crac yn fwriadol? Anharddu ddaru ti mewn
            cynddaredd? Oedda ti'n erbyn yr Arwysgiad? Mi
            oedd Mam! Wyt ti'n meddwl y dylai Camilla fod yn
            frenhines? Oedd ti'n coelio'r lol sentimental 'na
            am Queen of Hearts? Wyt ti'n meddwl y dyla fod
            'na Arwisgiad arall? William Wales! Ma 'na rai sy'n
            disgwyl yn eiddgar. Mi fydd yna fwy o fugs.

            *Mae'n dechrau hymian God Save the Queen.
            Dechrau canu'r geiriau. Ar Send Her Victorious
            mae'n gweiddi...*

Ar dy draed! AR DY DRAED!

Canu   *Happy and Glorious ag yn y blaen. Dyn 1 yn*
       ufuddhau ac wedi codi. Distawrwydd.

       Sdedda di'n ôl!
       Hawdd yn doedd!
       Sgin ti'm Paracetemol mwn?
       Neu well fyth Ibuprofen! Ma gin i natur cur yn 'y
       mhen. Sgin ti ddŵr? Dŵr! Ydy Tryweryn yn dal i
       dy bryfocio di? Yn dy gynddeinogi di? Mae o fel
       dŵr ei hun yn ddwfn yn y seici Cymraeg.

Dyn 1: Dyo ddim byd i mi ond llyn arall ar ymyl y lôn...
       Fasa gas gin i fyw mewn ryw bentra yng ngwaelod
       nunlla fel sdaen tatws ar sosban sy' ddim di ca'l 'i
       golchi'n iawn; tu mewn i deuluoedd poeth a'u
       plant nhw'n llawn hiraeth sâff o swbwrbia. Twll
       din i annibyniaeth. Ma raid ichi ail-ddiffinio
       Cymreictod. Cymru...

Dyn 2: Salach! Dlotach! Fwy bâs!... Mi ges di dy garcharu
       am brotest ynglŷn â'r Iaith.
       Mae'n darllen o'r cyfrifiadur.
       Assaulted whilst at H.M.P. Wandsworth...
       Whilst!...Mm!... Be' oedd natur yr assaulted yn
       hollol?

       Buggery? Gan dy fod ti wedi sôn am dwll tîn... Be
       ydy hynny i gyd i chdi bellach? Gorffennol ta
       Hanes?

Dyn 1:   Gorffennol...

Dyn 2:   Ma'r cur di mynd 'achan! Ma'r sgwrs ma'n
feddyginiaeth ma raid! Ti'n ddocdor! Wyt ti'n cael
camdreuliad yn dy enaid oherwydd fod y Fyddin
mewn lleoedd fel Bosnia ac Irac ac Affganistan yn
defnyddio'r Gymraeg i ddibenion diogelwch fel
roedd cyndeidiau mwn y milwyr cyfoes yn gneud
yr un peth yn Agincourt? Wyt ti o hyd isho
gwarchod y geiria rhag y llaid a cachu petha?
Dwisho ti sgwennu llythyr!
Nid rwan ond yn y munud... Yrhawg!... Wyt ti'n
golchi dy ddulo ar ôl cael rhyw? Ma 'na lot o
ddynion yn gneud. Pam ma nhw'n gneud hynny
ti'n meddwl?

Cloch y drws yn canu.
*Distawrwydd. Yna canu a chanu 'n orffwyll. Yna
sŵn curo drws ffyrnig.*

Dyn 2:   Ceri sy' 'na. A mi rwyt ti'n rhydd i fynd. Wir! I agor
y drws! Cer!

*Dyn 2 yn tynnu ei wn a'i roi yn y cês. Mae'n cau
ei gyfrifiadur. Mae'n codi ei ddwy law i
arwyddocáu ildio. Troi ei gefn ar Dyn 1.*

Dwi o ddifri! Cer!

Y gloch yn canu a chanu eto.
Curo gwyllt ar y drws.

Mae gen ti foment o ryddid. Ti'n rhydd! A dwina hefyd! 'Na ti od! Mi ryda ni'n dau'n rhydd! Un foment! Cer! Mae i ti ddrws y medri di fynd trwyddo fo! Yn ddilyfethair! Cer!

Dyn 1 yn codi a dechrau cerdded. Sdopio. Edrych i gyfeiriad Dyn 2. Dyn 2 ar yr un pryd yn troi i edrych arno. Cadw'r foment o edrych ar ei gilydd.

Un foment!

Sŵn hir cloch.
Distawrwydd.
Y ddau'n parhau i edrych ar ei gilydd.
Dyn 1 yn troi'n ôl a mynd i eistedd i'w gadair.
Rhoi ei ben yn ei ddwylo.

O! pam na eill pobol ddioddef rhyddid? A dewis caethiwed bob tro! Pam?

Mae'n rhoi ei wn yn ôl yn ei holster. Agor ei gyfrifiadur.

Ti'n gweld doedda ti ddim isho mynd i fan'na heno. I noson dy lyfr. 'Doedda ti ddim isho bod hefo Ceri. Oherwydd dwyt ti ddim yn caru Ceri mwyach. Fedar pobol ddim dal celwydda'n hir. Mae o'n drech na nhw. Yno ni mae 'na ryw ogwydd tua'r gwir o hyd. Glendid y gwir! Fi oedda ti isho. Heno. Nid Ceri. Fi. I ddatguddio petha. I dynnu'r

83

huddygl oddi ar y gwynder. I dy ddad-huddo di. A mi ddiosh fel roeddat ti wedi ei ddymuno... Da Ni'n gwbod!
Da Ni'n malio!

Dyn 2 yn cerdded i gyfeiriad Dyn 1 a'i gofleidio. Dyn 1 yn rhoi ei freichiau am Dyn 2. Dyn 2 yn ymddihatru ac yn mynd yn ôl i'w bersonoliaeth awdurdodol. Dyn 2 yn dynwared llais y pyped.

Help! Help! Help!

Ei lais ei hun

Be sy' washi?

Dyn 2 yn dwad â'r pyped i'r fei o'i gês a'i wisgo am ei law. Cogio sgwrsio â'r pyped. Y pyped yn sibrwd i glust Dyn 2.

Nagoes! Oes?... Ar y shilff lyfra! Taw a deud! *Yn llais y pyped:* David Hume! *Ei lais ei hun:* David Hume!

Dyn 1 yn anniddigo. Dyn 2 yn pwyntio ei fys yn gellweirus tuag ato.

Dyn 2 yn mynd at y shilff lyfrau a thynnu allan A Treatise of Human Nature

Sa'm byd yn fan hyn!

Mae'n darllen brawddeg o Hume:
Individuals are collected together and placed
under a general term with a view to that
resemblance which they bear to each other.
Llais y pyped
Tudalen 48:
Darllen iddo'i hun. Gwenu.

Wel! Wel! Sgwennu newydd ar ben hen sgwennu.
Palimpsest! ma nhw'n galw hynny, ia ddim? Ma
gin ti gyfrinachau dwfn. Dwfn fel dŵr Llyn Celyn.
O'n i'n gwbod yn iawn yli fod 'na basport cudd yn
fama 'n rwla. Pasport hefo visa. I wlad dy
emosiynau di. Dyddiadur 'achan! Rêl sgwennwr!
Methu cadw dim iddo fo 'i hun.

Mae'n darllen.

Aminah yn y dosbarth heddiw am y tro cyntaf.
Aminah! Rhin deud ei henw. Darllenodd un o'i
cherddi. Fe'm parlyswyd ganddi. Ei thegwch. Ei
deallusrwydd.
Ei choff.

Y pyped yn dynwared:

Fe'm parlyswyd ganddi. Ei chorff.

Mae'n troi'r tudalennau.

85

Darllen eto.

Wedi dengid i fwrw'r Sul hefo Aminah. Caru am y tro cyntaf. Collais ffiniau pwy oeddwn i.

Llais y pyped:

Twt-twt! Hogyn drwg. Bad boy.

Troi'r dalennau:

Mae ein cariad....

Dyn 1:   *O'i gof yn dawel ac yn synfyfyrgar.*
... yn hidlo drwyddaf. Croesais rhyw gyhydedd gan adael Ceri mewn gaeaf noethlwm ac ymwthio i'r tês lle rwyf fi ac Aminah. Ni phrofais y ffasiwn heulwen mewnol. Heulwen a oedd yn pylu yr haul go-iawn yn ei anterth ganol ddydd. 'Rwyn llawn cyffro a chywilydd.

Dyn 2:   *Yn darllen:*

Ond ni byddai ei theulu ceidwadol a thraddodiadol yn deall dim. Yn enwedig ei brawd...

Wrth gau'r llyfr a'i osod yn ôl ar y shilff:

Ac yn y blaen ac yn y blaen ac yn y blaen. O! feirws cariad! Mi o'n i'n iawn yn dôn! Mi rwyt ti wedi bod yn Pacistan wedi'r cyfan. Rhwng y cluniau. Ac i

mewn i Pacistan. Rwan wyt ti'n barod i gyffesu?
Deud y cwbwl! Mm?

Distawrwydd.

Dyn 2 yn ffonio ar ei ffôn symudol.

I'm going to let him listen!
... I've got to use it!...
I'm getting nowhere otherwise, man!

*Diffodd y ffôn. Ar ei gyfrifiadur. Troi'r cyfrifiadur
tuag at Dyn 1.*
Gwranda!

Llais
Aminah: But we were lovers.
Love got in the way.

Llais
Dyn: Got in the way of what?

Llais
Aminah: My plans! My feelings! What I thought might
happen to me in the future!

Llais
Dyn: Or was it the case that you feigned love.
Pretended! So that you could use this 'love' as you
call it to further your own extremist views. Who
would ever suspect a naive teacher of being an

accessory. Is that what you thought? You used him under the camouflage of emotion.

Llais
Aminah: No! No! I loved him!

Llais
Dyn: But your family would have been outraged! Or did they put you up to it! Tell the truth!

Llais
Aminah: I never told my family. I couldn't! They would never understand!

Llais
Dyn: Let us help you to remember the truth. Would you like this? Eh? Would you like this? Will this help you to remember?

Llais
Aminah: No! No! No!

Sgrech ddirdynnol.
Dyn 2 yn diffodd y sgwrs ar y cyfrifiadur.

Dyn 1: Aminah!

Dyn 2: *Yn taro ysgwydd Dyn 1 yn gyfeillgar.*

Dwi'n gwbod! Ma' hi'n anodd withia! Hen bethbach ciaïdd ydy ġwirionedd.

Dyn 1: Ond tydwi ddim wedi gneud dim byd! Cariad oedd o nid gwleidyddiaeth.

Dyn 2: Mae cariad yn wleidyddol y llembo!

Taro ei ysgwydd eto a'i gwasgu'n dynn.

Ma gin i gwestiwn i ti.

Dyn 1: Taw a deud!

Dyn 2: Tasa ti ar fin marw. Mond tasa ti dwi'n 'i ddeud! Be fasa'n mynd drw dy feddwl di ar y foment honno? Pan o'n i'n meddwl am hyn dro'n ôl, sbide fydda'n mynd drw meddwl i?... Resipi! Resipi Coq au van!

Dyn 1: Dwi'n rhy ifanc i farw! Plis!

Dyn 2: Tasa dwi'n 'i ddeud! Mond tasa... A does na neb yn teimlo'u hoed pan ma nhw'n marw... Coq au Van! Er mwyn gneud Coq au Van da mae'n rhaid iti wrth y cyw iâr gora. Un sydd wedi profi buarth ac awyr iach. Nid y sgerbydau rhâd rheiny rwyt ti'n 'i gal yn Pepco. Gâd i'r bwtshar dorri'r cyw yn chwe darn iti. Mwyda'r cig yn y gwin coch gora'. Nid hen beth siép. Ond rhwbath fel Montepulciano gwin o Ffrainc. Wedyn eu hiro nhw – O! na ti air hyfryd: iro – eu hiro nhw â menyn; menyn o gorddwr nid o beiriant ffatri; yn felyn drosto. A thaena flawd yn dyner hyd-ddynhw. Wedyn, t'weld, eu ffrïo nhw mewn olew olewydden. Cer i Ffrainc i'w nôl o! Paid a malio am yr Eidal. Wêl yr Itais ddim byd pellach na phasta. Ffrïo hyd nes y bydd y croen yn swigod aur drosto. Paid a meiddio'u llosgi nhw! Ychwanega fecyn. Becyn heb ei amdoi mewn plastig. Becyn wedi ei halltu gartra. Gosoda'r cwbwl mewn potyn pridd ac arllwys gweddill y gwin a sdoc o'r short ora' ar eu penna nhw. Wedyn rho'r llysia i mewn – moron, cenin. A pherlysiau. Boquet Garni. Nid sachet. Gna fo dy hun a'i lapio fo mewn mwslin a'i hongian o ar linyn yn y gwlych. Rho'r cwbwl yn y popdy ar wres cymhedrol am ddwyawr. Dim mwy cofia neu mi fydd y cig yn malu. Sawra'n wastad yr arogl. Clyw ffrwtian y potas cynnes yn brysur dwchu. Wedyn i ddiweddu ladel o frandi, cognac, wedi ei gynnau'n fflam las a thwalld o i drwch y potas. Ac ar blatiau cynnes – sa'm byd gwaeth na phlatiau oer i bryd poeth – ac ar blatiau cynnes fe weli'r cig brau yn disgyn o'r asgwrn. Am hynny y bydda i'n meddwl pan fyddai'n marw. Coq au Van!

Dyn 1: Ond gwin o'r Eidal ydy Montepulciano. Blerwch! Wps-a-deisi! Camgymeriad! Ond mae gin i gwestiwn iti! I bwy roedda ti'n gneud y pryd? Lluosog ydy platiau. Hefo pwy oedda ti'n rhannu'r swper a'r cyw iâr mor frau a'r potas yn sdaen hapus ar 'ch gwefusau chi? Deud? Plis! *Distawrydd.* Pam nad wyt ti'n gofyn imi gwestiynau sy'n cyfri? Cwestiynau sy'n werth ei gofyn!

Dyn 2:   A sut betha ydy cwestiynau gwerth eu holi?

Dyn 1:   Cwestiynau sy'n troelli o gwmpas rhyw wacter
crwn ac yn gwrthod ildio atebion ond yn dy
wahodd di i le o ddirgelwch. Cwestiynau megis: Be
ydy cariad? Pam y dylwn i drugarhau? Pam yn y
diwedd mai'r cwbwl sy'n aros ydy rhyfeddod
pethau? Dofi ing y cwestiynau y mae atebion bob
tro. Taflu cwestiynau atai wyt ti o du ôl i faricêd yr
atebion powld, cauedig. Tydy dy atebion di ddim
gwerth eu cael. A phetha llipa felly ydy dy
gwestiynau di. Sgin i mo dy ofn di. Oherwydd ynot
ti y mae'r ofn. Nid yno i. Gwna fel fynnot ti â fi.

Dyn 2:   Diwinydd! Wedi'r cwbwl!

Dyn 1:   Na! Dim ond rhywun sy'n fyw. Dwi ddim angen
baglau yr un o dy dduwiau di. Well gin i gerdded
yn herciog. Sbia!
Mae'n codi a cherdded yn herciog nôl a blaen.
Fedri di ddim gneud hyn!
Be sy'n bod ar dy wraig di?
Be sy ddim yn iawn ar dy hogyn bach di? Dyn
resipis!

Dyn 2:   Ond mae 'na betha sylfaenol y mae'n rhaid iti eu
gwarchod nhw. Rhwbath heb goesa ydy cwestiwn
heb ateb. Rhwbath sy'n troi'n ei unfan. Nid ar
chwit-chwatrwydd yr wyt ti'n byw.

Dyn 1: A pha mor bell y mae'r gwarchod yn mynd? Dadl ta dagr sy'n penderfynu?

Dyn 2: Y llythyr! Bardd fel ag yr wyt ti: ysgrifenna!
Mae'n rhoi papur ac ysgrifben costus iddo.
Annwyl Ceri. Sgwenna! Ti'n gweld os bydd yna archwiliad, cwest ne' rwbath tebyg, mi fydd yna ddigon o dystiolaeth fydd yn drybola o amwysder. Tyllau ym mhobman i beri i reithgor – os bydd rheithgor – fethu'n lân a phenderfynu. Open verdict fydd hi... Annwyl Ceri... Na! nid atalnod ond ellipsis
Edrych ar ei gyfrifiadur.
Nid Ms wedu'r cyfan ond Docdor. Docdor Ceri Hammond. Yn rhyfedd iawn tydyo ddim yn deud Docdor o be'! Cymdeithaseg? Cymraeg? Ffiseg falla? Fel dy Weiner Heisenberg di.

Dyn 1: Gwall mewn gwybodaeth! Twt lol! Cangymeriad arall! Docdor yn yr Adran Oncoleg yn Ysbyty'r Gelli!

Dyn 2: Ysbyty'r Gelli!

Dyn 1: Ia! Da ni'n nes at 'n gilydd nag yda ni'n i feddwl. Tyda ni!

Dyn 2: Annwyl Ceri. Ellipsis.

Dyn 1: Dau ddot?

Dyn 2:   O! naci! Tri! Sgwenna! O waelod calon mae'n
          ddrwg gen i... Ellipsis. Ni cherais i erioed
          neb...Ellipsis.

          Mae'n mynd at y drych yn y wardrob. Yr un y bu
          Dyn 1 yn edrych iddo ar y cychwyn. Yn dawel:
          Dwi'n dy garu di... Ellipsis
          Dwi'n dy garu di... Ellipsis
          Tân oer y geiriau. Y llythrennau fel siapiau fflamau
          ond yn ffugio gwres. A chariad ei hun o ffendar ein
          gorffennol yn trio twmo ei hun eto. Ac yn methu...
          Ellipsis... Wyt ti'n cofio?... Ellipsis

          Distawrydd hir.
          Dyn 2 yn y man yn dal ei law allan i gael gweld y
          llythyr. Ei osod yn ôl yn annwyl ar y bwrdd.

Dyn 1:   Enw bwy roi ar hwn?

Dyn 2:   Da ni bron yna! Mi rwyt ti wedi bod yn un hawdd
          iawn cyd-weithio ag o. Y mae sawl un wedi tynnu'r
          deintydd allan ohono'i ymhell cyn rwan. On i be
          wyt ti isho petha dentusd pan ma gin ti arfau
          geiriau! Yn de! Mond un cwestiwn ar ôl!

          Mae Dyn 2 yn cadw ei bethau. Clirio'r offer
          deintyddol. Cau'r cyfrifiadur a'i roi yn ôl yn y cês.
          Gwisgo ei siaced. Nôl ei gôt o'r wardrob a'i
          gwisgo. Tacluso ei hun yn y drych. Edrych yn y
          ddau ddrych. Mae'n rhaid i Dyn 2 yn y foment
          yma benderfynu pa ddiwedd y mae'n mynd i

*ddewis. Rhaid iddo archwilio ei deimladau. Ni
ddylid o gwbl benderfynu cyn y perfformiad pa
ddiwedd i'w ddewis!
Yn siarp, yn sydyn:*

I ble rei di ar dy wylia' leni?
I ble rei di ar dy wylia' leni?
I ble rei di ar dy wylia' leni?

Dyn 1:   Mae hiraeth yn y môr a'r mynydd maith.

Dyn 2:   I ble rei di ar dy wylia' leni?

Dyn 1:   Mae hiraeth mewn distawrwydd ac mewn cân.

Dyn 2:   I ble rei di ar dy wylia' leni?

Dyn 1:   Ond hiraeth doeth y galon adref a'm dug.

Dyn 2:   I ble rei di ar dy wylia' leni?

Dyn 1:   Ac ni bu dwthwn fel y dwthwn hwn.

Dyn 2:   I ble rei di ar dy wylia leni?

Dyn 1:   Uwch callwib y cornicyllod.

DIWEDD UN.

Dyn 2 yn tynnu ei wn allan yn sydyn ac yn saethu Dyn 1 yn ei dalcen yn gelain. Dyn 1 yn syrthio'n ôl yn ei gadair.

Dyn 2: Am be oeddati'n meddwl?... *Ffonio. Yn syth:*
It's done!... He confessed... But it's not him... Because I'm telling you it's not him... I know these people... Allright, I'll go there then...

Dyn 2 yn aros yn ei unman yn hollol lonydd. Y peiriant C.D. yn goleuo a Maurerische Trauermusick, Mozart yn chwarae. Y gerddoriaeth yn parhau am gyfnod cyn bod tywyllu araf, araf nes bo tywyllwch hollol. Y gerddoriaeth yn parhau hyd y diwedd.

DIWEDD DAU.

Ar ôl i Dyn 1 ddweud:
Uwch callwib y cornicyllod *mae Dyn 2 yn tynnu'r defnydd du a welwyd yn gynharach o'i gês. Mae'n huddo pen Dyn 1 â'r mwgwd du. Dychwelyd i'w le blaenorol. Tynnu'r gwn allan yn sydyn a'i anelu at Dyn 1. Dal y foment. Yn araf mae'n troi'r gwn arno'i hun:*

Dyn 2: Un foment!.... Coq au Van.
Mae'n saethu ei hun yn ei arlais. Cwympo. Dyn 1 yn aros yn ei le heb gyffroi, heb emosiwn. Y peiriant C.D. yn goleuo a Maurerische Trauermusick, Mozart yn chwarae. Y

*gerddoriaeth yn parhau am gyfnod cyn bod
tywyllu araf, araf nes bo tywyllwch hollol. Y
gerddoriaeth yn parhau i'r pen.*